KB086223

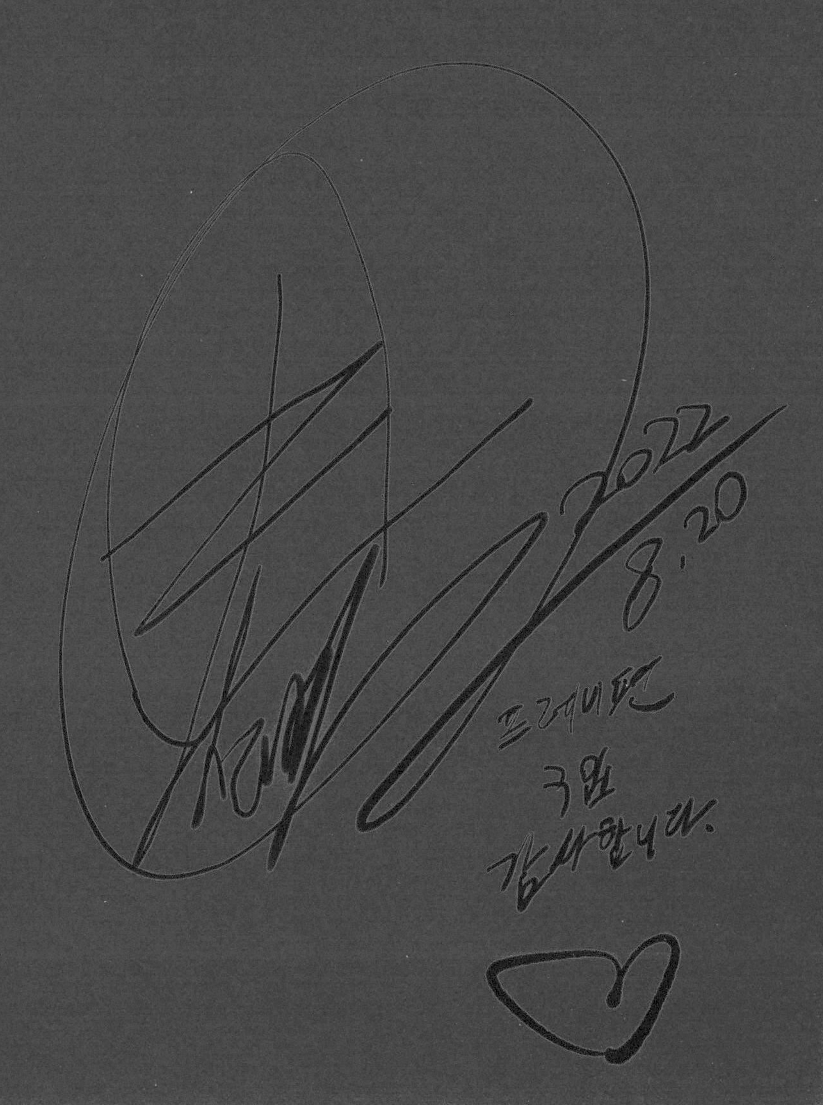
2022
8.20
감사합니다.

PRAY ORIGIN

프레이 오리진

나이트런 프레이 오리진 | **7**

2022년 9월 15일 초판 1쇄 발행

원 작 김성민
편 집 이열치매, 최지혜
마케팅 이수빈

펴낸이 원종우
펴낸곳 블루픽

주소 경기도 과천시 뒷골로 26, 2층
전화 02 6447 9000
팩스 02 6447 9009
메일 edit01@imageframe.kr
웹 http://www.bluepic.kr/

ISBN 979-11-6769-166-8 07810
979-11-6769-066-1 (세트)
정가 15,800원

CONTENTS

P R A Y
ORIGIN
프레이 오리진

part 65

Knight Run

관광지로
선정해도
되겠군.

우주는
대낮에도 번쩍이고
하늘에는 핵탄두가
마구 날아다니고

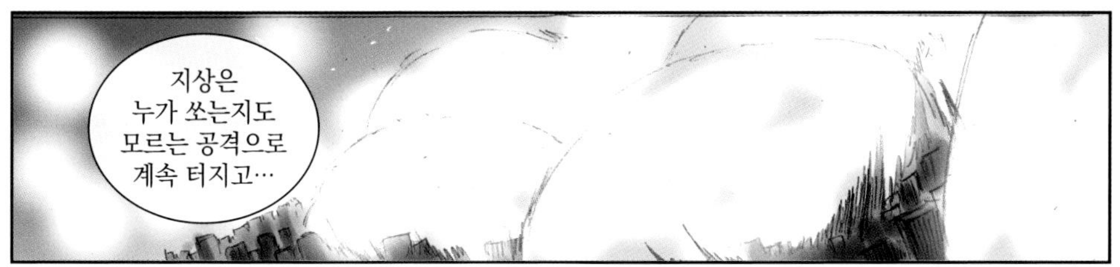
지상은
누가 쏘는지도
모르는 공격으로
계속 터지고…

누가 이기든
이 행성은 끝이야.

여기야말로
세상의 끝을 볼 수
있는 곳이라고.
이상한 것들이나
꼬이고 말이지.
노심기 4대면
돌입에는 제법
쓸만한데
내가 왜…

그런 소리
할 바에는
진작에 내뺐어야
하는 거 아닌가
에드 중위?

이제는
군인이 아니라
운송업자입니다.
돈만 내면
소령님 유품도
전해 드리죠.
아직
안 죽었거든?
너 내려와.
이 자식아.
쳇, 니가
올라오세요.

…그보다
어째서
남은 거지?
상황이
상황인지라
이제 올라가지도
못하는데.

……
그러게
말입니다.

그 멍청이
때문에.

과연
알만 하구먼.
뭐가
알만 합니까?
그런 거
아니에요.
그래 그래.
다 알아 인마.
아니라고요!
자꾸 그쪽으로
몰고 가지
말라고요.
인마 세상만사
대부분의 원인은
술, 돈, 여자,
가족 중 하나야.
치익-

웡 소령님
들리십니까?
여기는 3중대
켈리먼 대위입니다.
67번 도로에서
녀석들 발을 묶는 데
성공했습니다.

비행루트
C 확보.
갈 수 있습니다.

오래
버티지는
못합니다.

모든 핵
사일로를 가동했고
탈출용 반응탄까지
몽땅 퍼부었습니다.

기사님이
이 행성에 오셔서
희망을 붙잡을 수
있었습니다.

그저 결과를
직접 보지 못하는 게
아쉬울 뿐입니다.

소령님만이라도
폼 한번 잡으면서
기사님을 도우러
가 주십시오.
지금이라면
조금의 병력이라도
우주에 있는 함대에 분명
큰 도움이 될 겁니다.

에드는 잘
있습니까?

그 녀석 의외로
길치라서 길 안내
잘 해 주셔야
합니다.

그래. 뒷일은 맡겨라.
덕분에 간만에 폼 좀 잡게 생겼군.

이렇게 또 짐을 떠맡다니… 길 안내는 해 줘야지.

갈 거지?
가야죠.

보급도 해 줬으니 그 정도는 해야지.
쳇, 나한테까지 짐을 떠넘기고.
말이나 못하면 밉지나 않지.
운송업자니까 딱이잖아.

켈리먼은
두 번밖에 본 적
없는데 절 잘도
기억하네요.
그 녀석
너보다 머리
좋거든.
저놈의 입은
열리면 비아냥이야.
그러니까 마누라가
도망가지.
죽을래?
가는 길에 상위괴수
한 기라도 있으면
끝장날 텐데.
쿠
걱정 마세요.
앤이 지나간 자리엔
아무것도 안 남으니까.
치익-
여기는 전술 비행대
콜드투스 생존자인
록 중위다.
소개받고 왔다.
호위해 주지.
살아남거든
바에서 한잔
하자고.

뭐 어디까지나
살아남았을 때의
이야기지만.

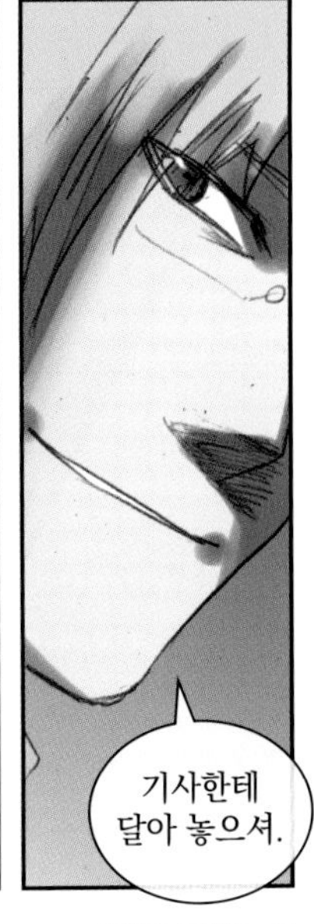
기사한테
달아 놓으셔.

이거야 원…
동반자살
클럽이라도 결성할
기세군.
회장은 에드
네가 해라.

챙

끼링

카
가
각

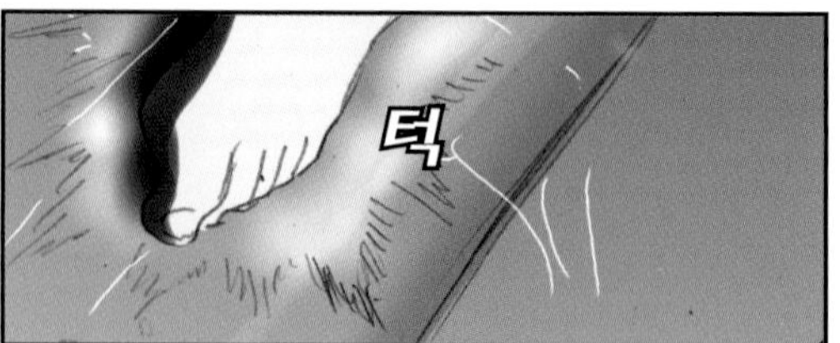
턱

프레이식 발검

촤
현월 청
玄月 靑

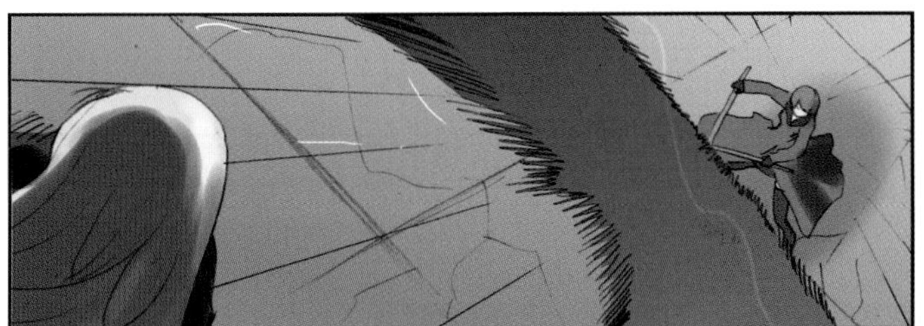

프레이식 발검

현월 적
玄月 赤
촤

킹
카지
지직

촹

?!

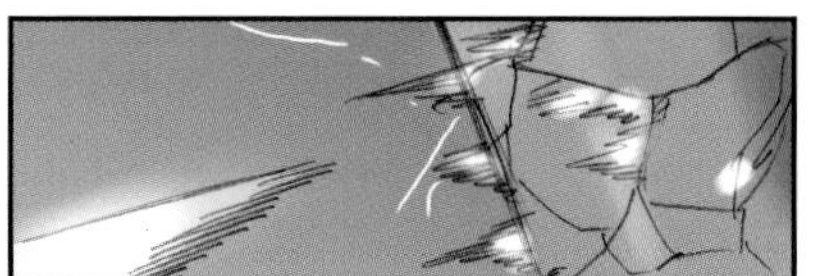

쿠
프레이식
유성검(流星劍)
Meteor Strike
직

먼데이 튜스데이 결합
키릭
프레이식 회천 二式

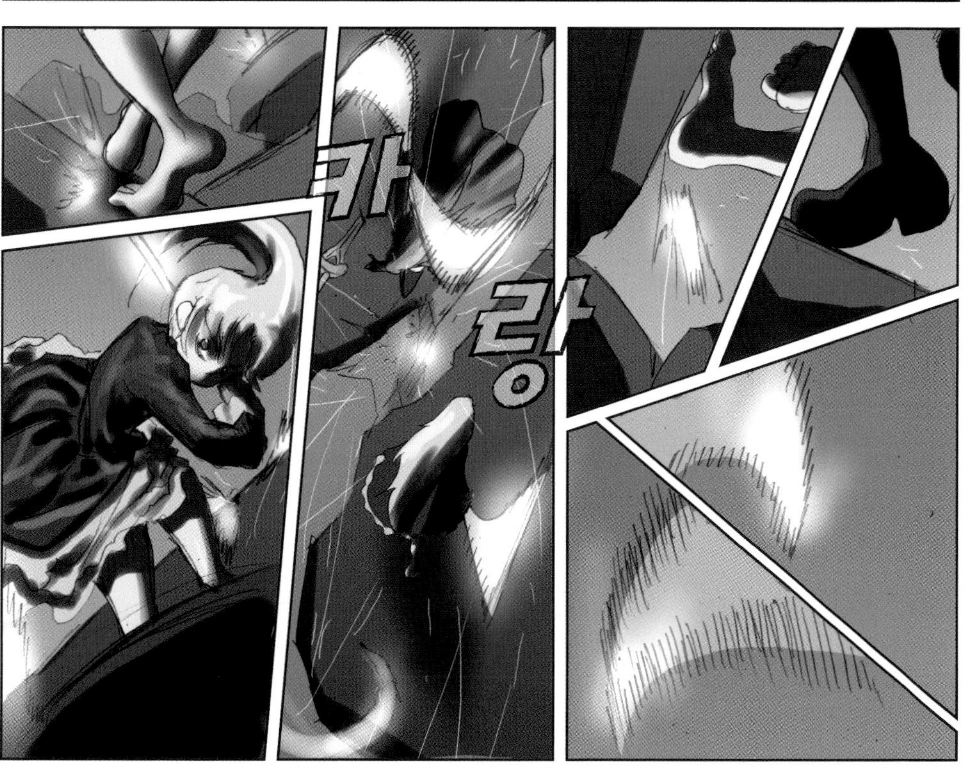
카
랑
랑

내 기량이
떨어져서
적당히 하기가
어려워.
상처 없이
손에 넣고
싶었는데…

꽈
악

프레이식 이검류(二劍類)
정면이야.
피하거나
흘려 앤.

선불리
받아내려다가는
…
죽으니까.

무명(無名) 이검전력베기

프레이식의 파동기는 다른 사상력이나 기술들을
제압하기 위한 방편일 뿐
진짜 위력은 온 힘을 순간적으로 폭발시키는
검격에서 나온다.
쿠
구
그 위력은 고강도의 AB소드마저 파쇄한다.

단지 검이 견디지 못하기에
그 위력이 다 드러나지 않을 뿐.

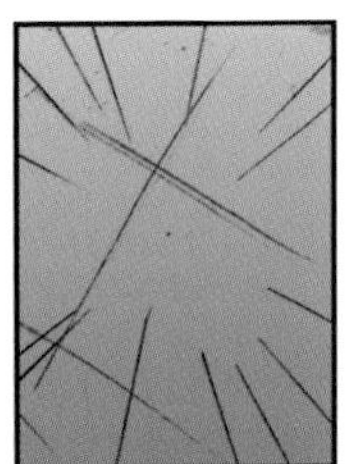

텅

키기기기기기

둥지가
망가져
버렸잖아.

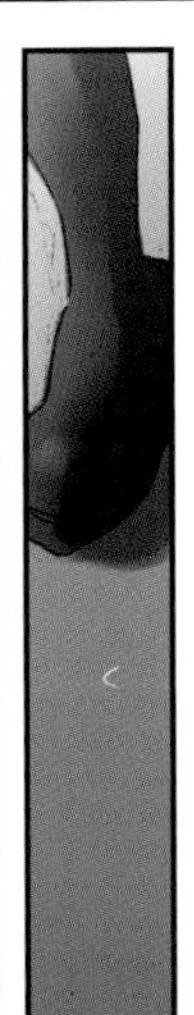

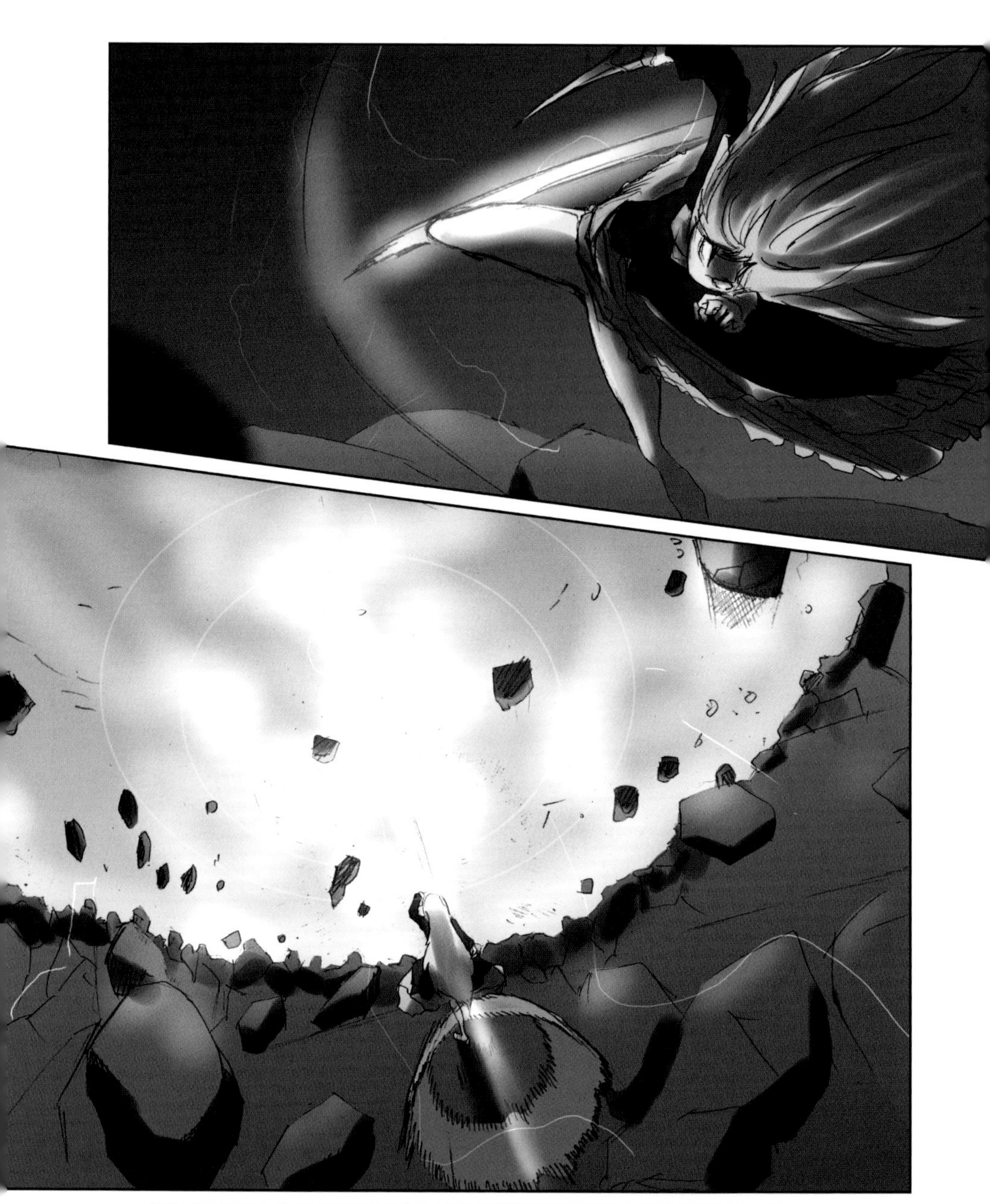

part 65. 청적의 댄서 |끝|

part 66

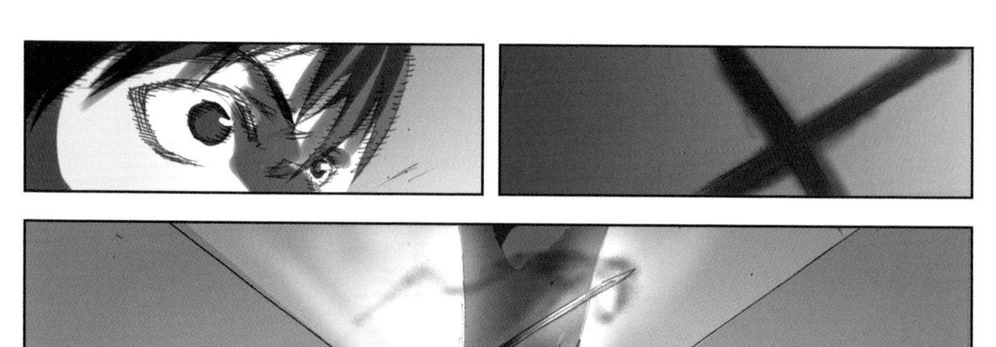

쾅

캉

검은색,
쓸 수 있는
거야?
칭찬해
줄게.

투팍
휘릭
쉭
턱
쉬릭
휘릭
콰앙
휙

으
지
직

쿠

차
착

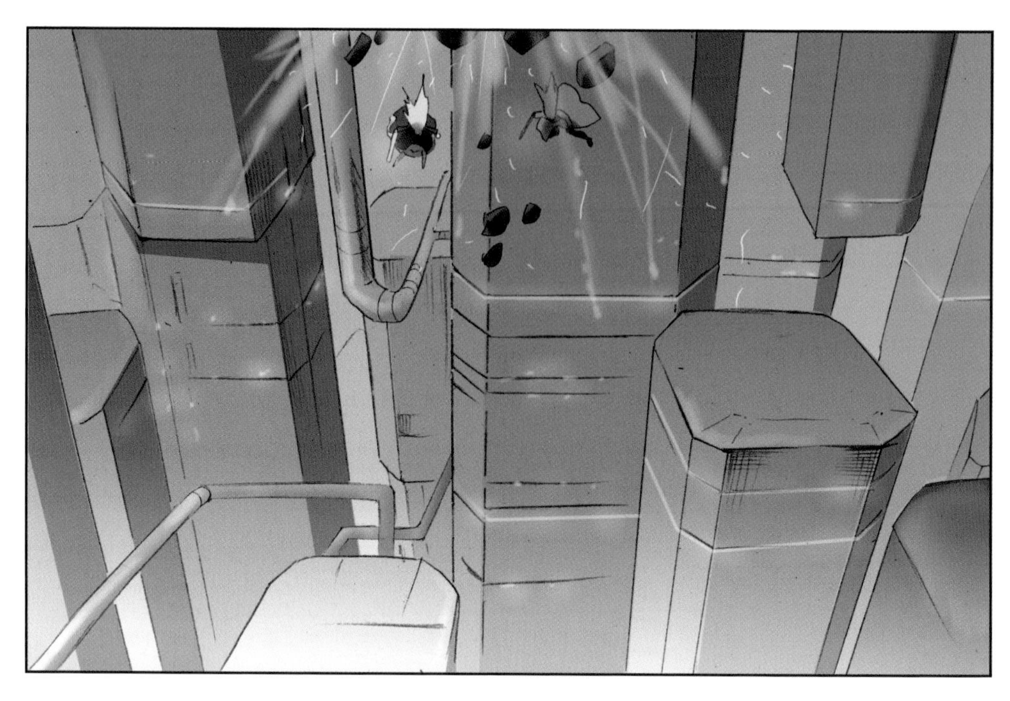

키

키
기
기
기

피ㅅ

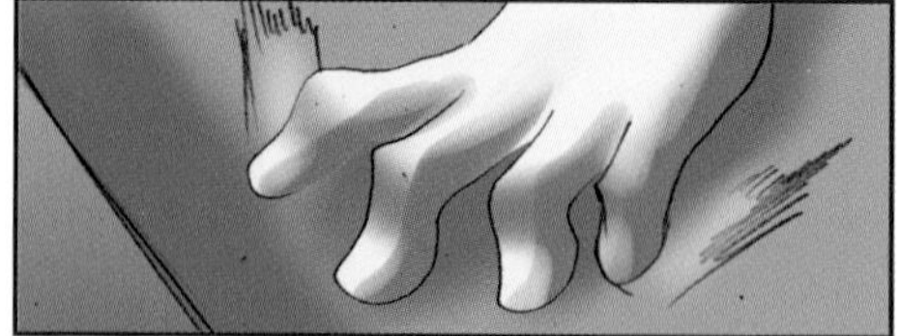

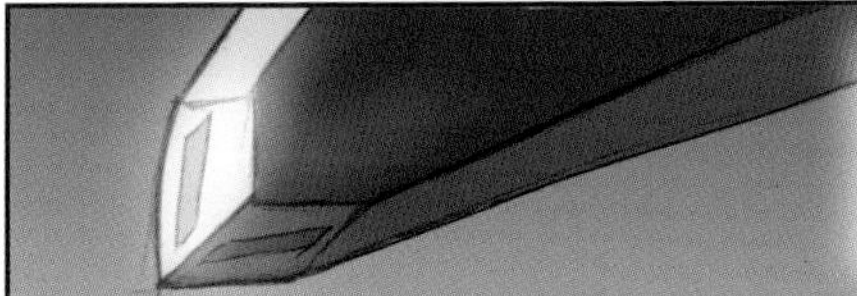

프레이식
무명일검
無名一劍
무기깨기

끼이이잉

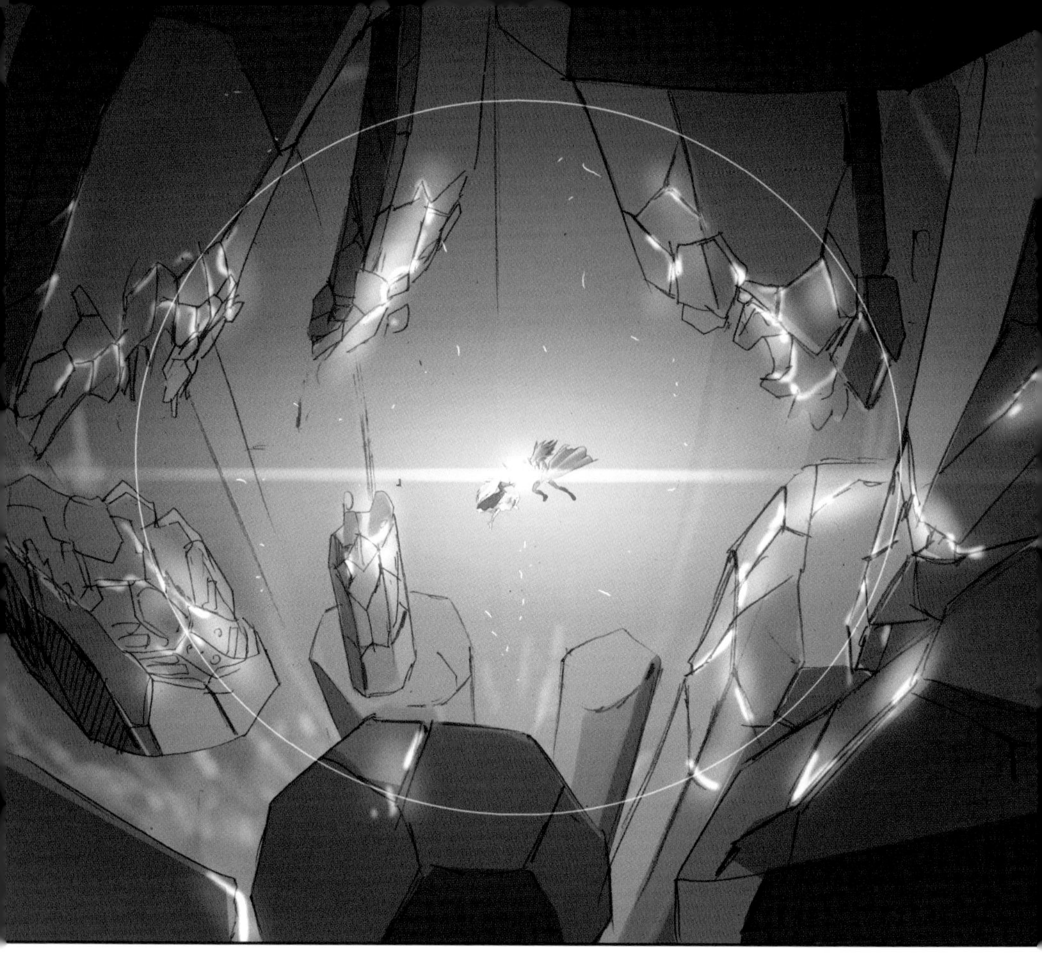

콰
으
직

콱

퍽

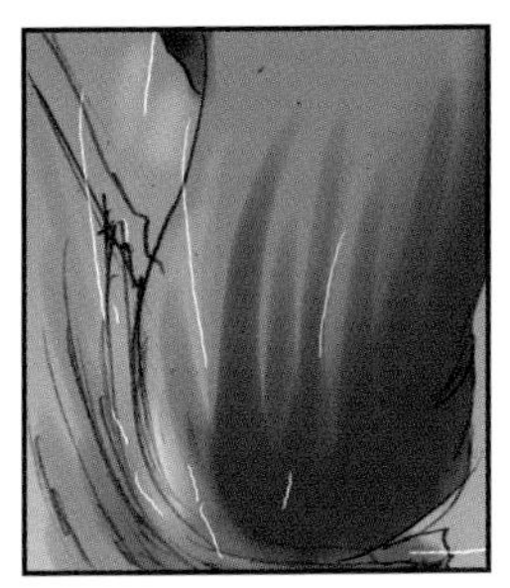

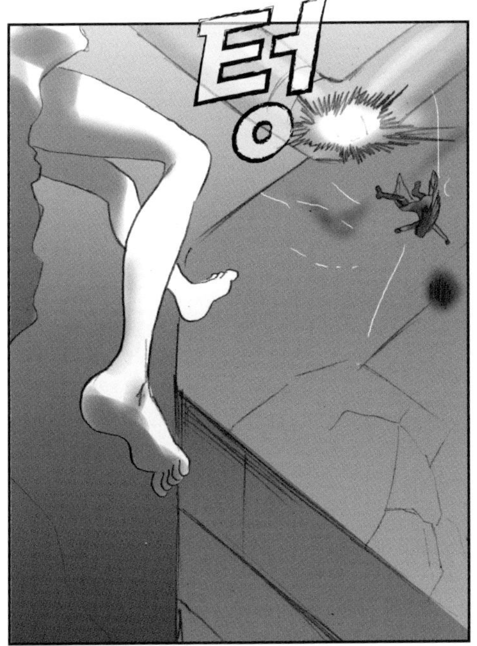
텅

단단하다.
수차례 성능이 개선된 루인의 중(重) 디펜시브코트. 하지만…
쿵

차

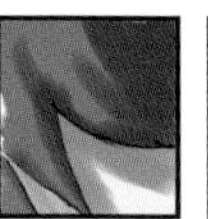

프레이의 파동기도 한계에 달했다.

AB소자가 없다면 코트를 입은 내가 압도적으로 유리해!

캉
턱

투

팍

쉬
ㄱ

퍼

억

촤

핑

휘릭
쉭

휘릭

드
팍

꽉
?!

턱?

팔괘기공
八卦氣攻
×
삼천사
三穿蛇

땅

빡

촤아

휘릭

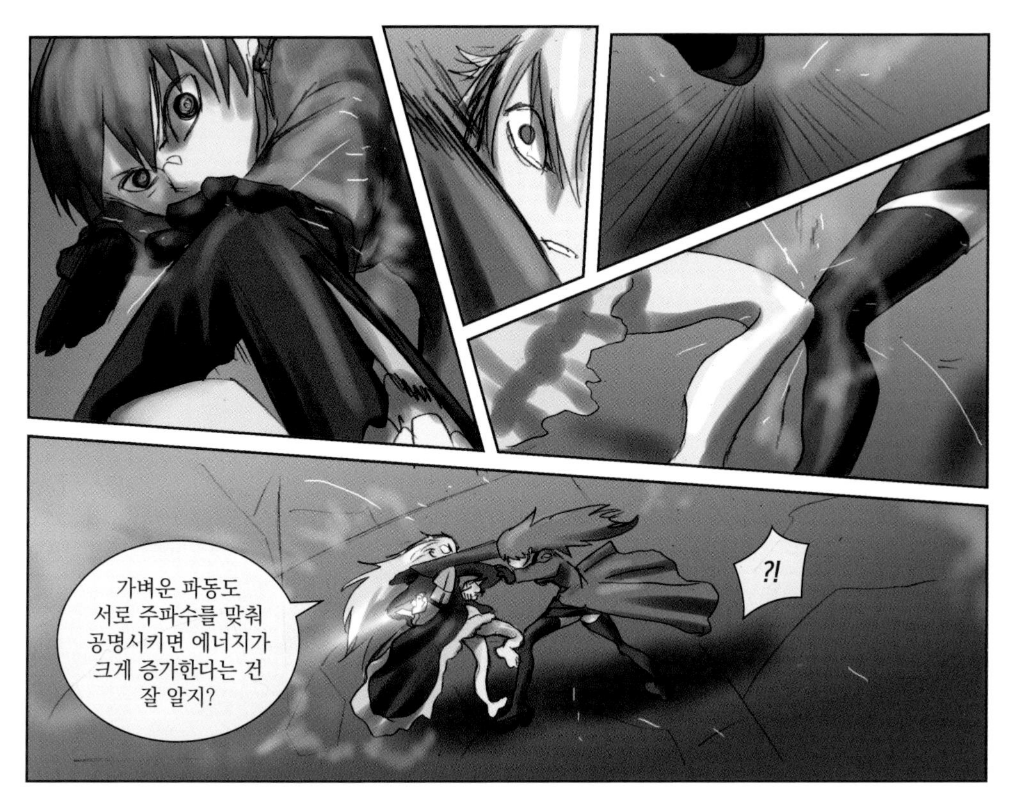
?!
가벼운 파동도
서로 주파수를 맞춰
공명시키면 에너지가
크게 증가한다는 건
잘 알지?

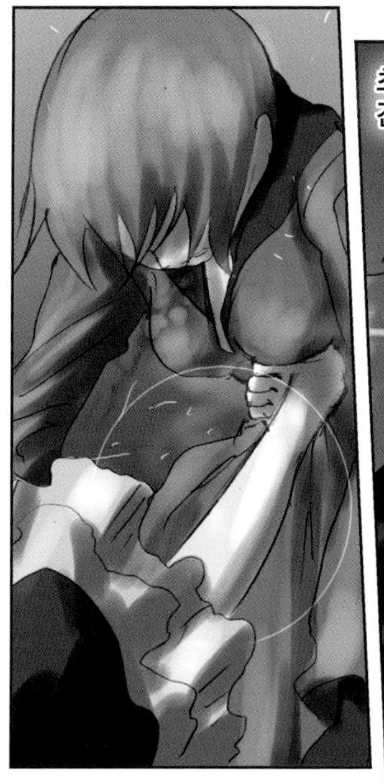

초점을 살짝 어긋내서
간접 충격파로…

청적합일
青赤合一
만극진월 이연장타
卍極眞月 二連掌打
Unlimited Moon Clash

쿠
아앙

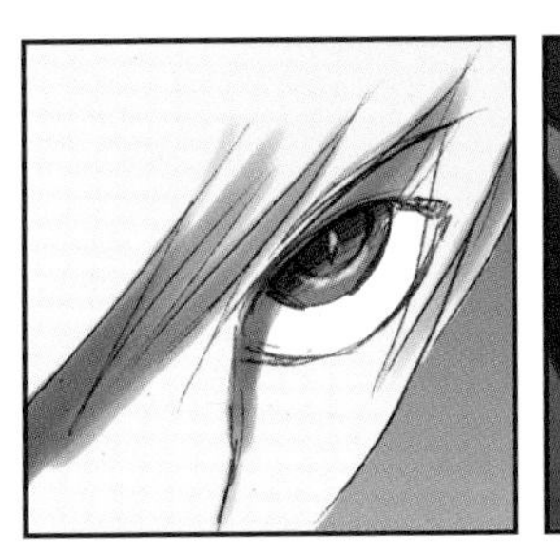

타타탓

프레이식 공권극기
pray式 空拳極技

으
득

정권지르기
正拳

콰아앙

콰앙
쾅
쾅

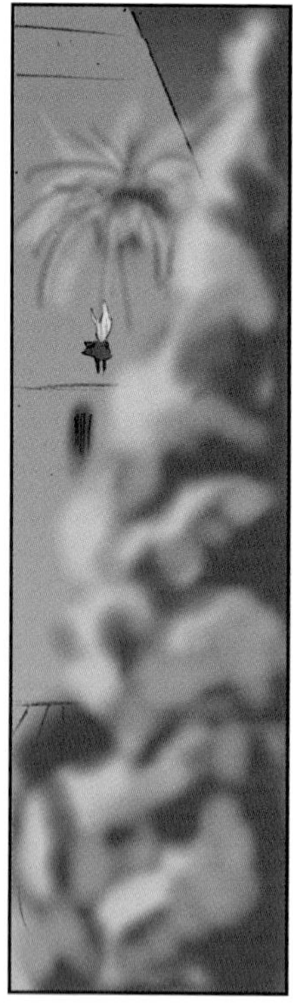

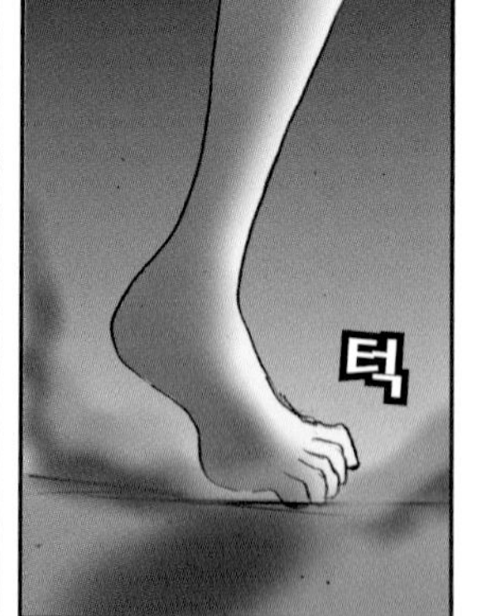

턱

흐음… 뭐 조금
거칠긴 했지만…
펄럭

꽤 즐거운
춤이었어.

…하아…
하아…
나도 한마디만
해도 될까?
?

아픈 건 아픈 거고, 아까부터 신경쓰였다.

part 67. 거친 무도회 |끝|

part 67

팬티는 좀
입고 다녀라.

뭐 이유야
다 알겠지만
…

상관없잖아?
여기에 앤 말고
다른 인간 따위
없으니까.

그리고
앞으로도 여기에
살아있는 인간
따위는
존재하지
않을 거니까…

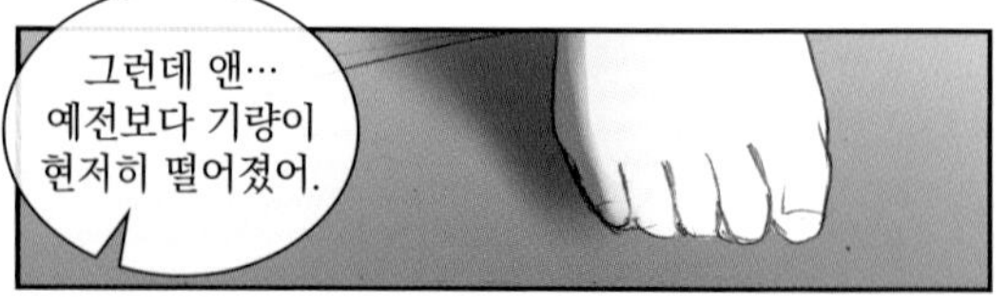
그런데 앤…
예전보다 기량이
현저히 떨어졌어.

애 낳느라
고생한 몸을 일부러
끌고 나와 줬건만…
전차의 레일건도 막는
디펜시브코팅을 맨손으로
박살 낸 주제에 잘도
지껄이는군.
그것도
봐 준 거야.
앤.
팔에 입을
피해까지 고려해
완벽히 막았는데도
코트가 다운됐다…
너무 그러지 마.
너 때문에 은퇴까지
번복하고 온 거니까.
흐응.
그 이유가 내가
보고 싶어서였으면
좋았을 텐데.
책임.
치직
책임
때문이야.
칙
너무 많은
사람이 죽었어.
…
다른
인간 따위
신경 꺼도
되잖아…

항상 그런 걸
짊어지려 하니까
앤은…

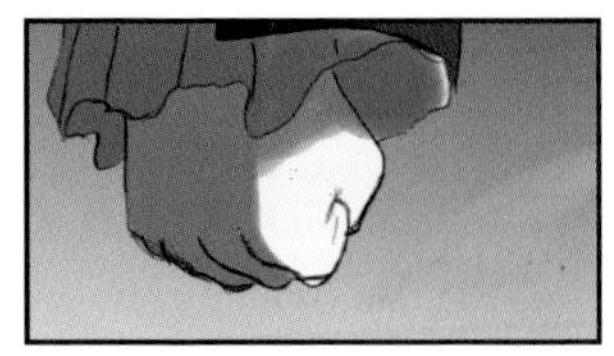

언제나
상처만 입고…

누군
짊어지고 싶어서
짊어지냐!

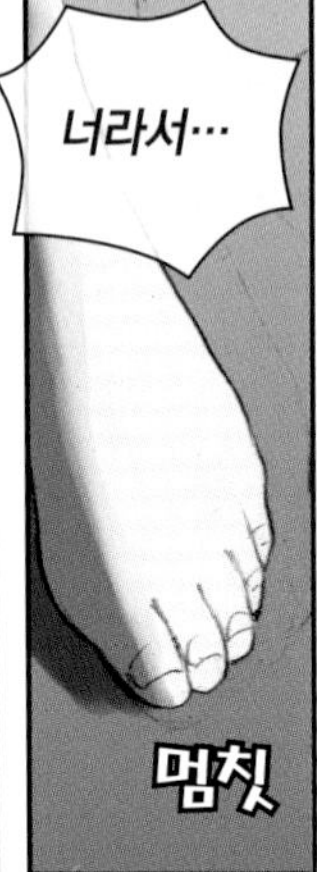
너라서…
멈칫

사람들을 죽인 게
너이기 때문에…
내가 짊어져야만
하는 거라고…!!!

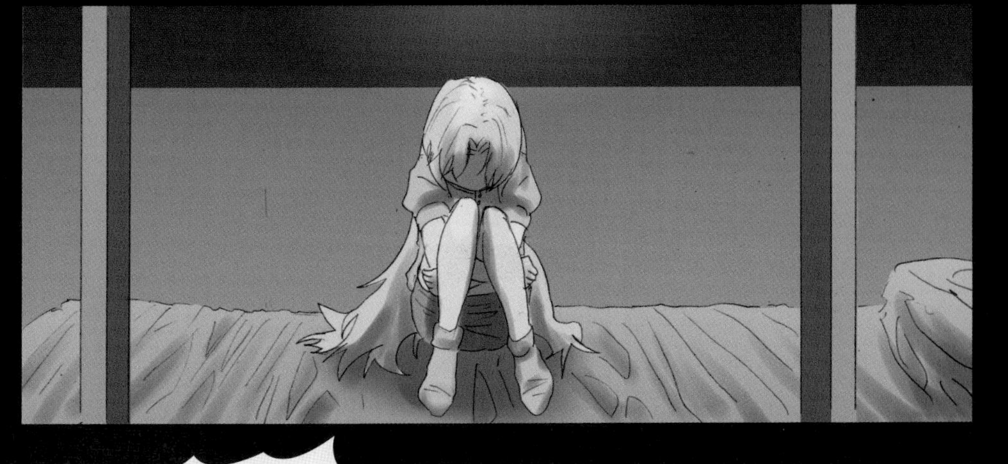

너를 혼자
내버려 둔 건
나니까!!
이제는
너에게도…

사람들에게도…

그냥 사과 같은 걸로
끝낼 수 없게 되어
버렸다고!!!

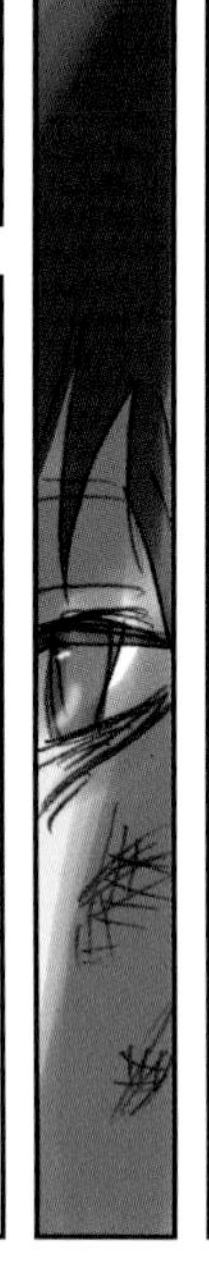

그건…

조금
기쁠지도.
코트 다운.
소자 제어 불능.
착용자는 신속히
코트를 탈의해
주십시오.

하지만

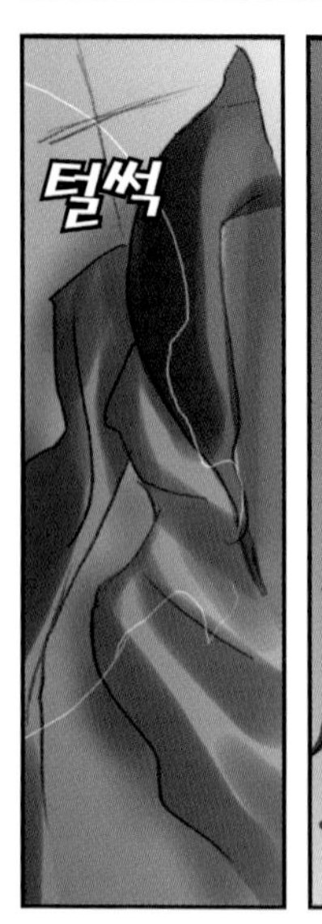

털썩

그런 데 얽매여서는
괴로울 뿐이야.
그렇다면
펄럭

하나가 되자.

…
하나?
그래.

몸도
정신도
융합해서

밖은 더 이상
신경쓰지 말고
…

영원히 둘만의
세계에서

함께하는 거야.

기억로그 이식.
그때처럼
언제나 함께…
사고 동조.
그리운
그때로…
의식이 녹아 내리고
기억이 융합된다.

조금 슬픈 건…
그녀의 기억 속에는
나와 함께 있던 시간 외에는
즐거웠던 기억이 거의 없다는 것.

모두를 지키려
타인만 바라봤다.

하지만 그러한 내 태도의 근본은…
언제나 필사적으로 날 지켜준…

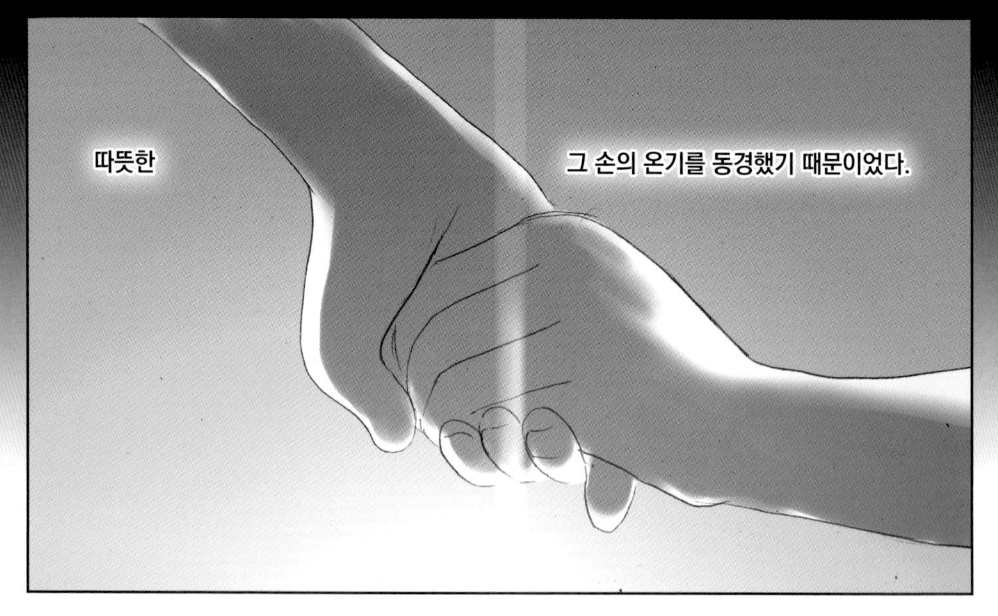
따뜻한
그 손의 온기를 동경했기 때문이었다.

놓지 않을 거야…
이젠…

꼬옥

떨쳐내기 싫은 온기.
서로만 바라보던 그때처럼…
입양 후엔
앞으로 많은 사람을
만나게 될 거야.
야 프레이 빠져.
입양 서류에 들어갈
증명사진이거든.
그것이
아픔의
시작.

안 되잖아
프레이.

수천 명이
죽었어.
너무…
늦은 거야.

괴수는 인간의 적.

아무리 가슴 아픈 기억을 가지고 있어도
그녀가 인간을 죽이는 괴수라는 사실은 변하지 않는다.

물론 나에게 프레이가 인간인지 괴수인지는 중요하지 않다.

중요한 건 녀석의 선택이다.

프레이는 인간을 죽인다는 선택을 하고 말았다.

그 선택을 받아들일 수 없기에
내 결심은 바뀌지 않는다.
그때 놓아 버린 손은 결국…
잃어버린 시간은
다시는 돌아오지 않아.

역시
그런 걸까.

뭐 좋아.
돌이킬 수 없는
길이었으니까…
끝까지 가야지.
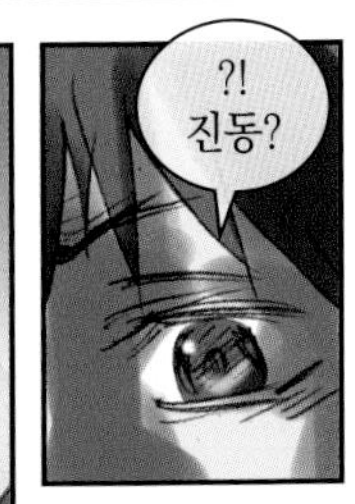
?!
진동?

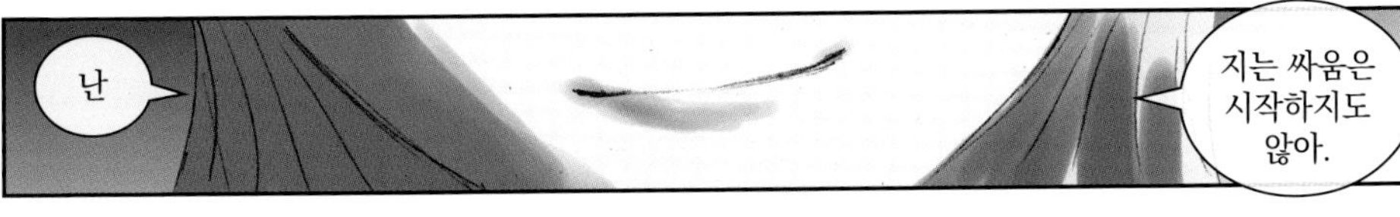
난
지는 싸움은
시작하지도
않아.

비밀 하나
알려 줄까?
중앙의 에너지원은
대전쟁시절 이동 요새의
노바급 축퇴로야.
에덴과 더불어
인류 최대의
출력원이지.
이 에너지를
이용한 둥지의
생산성은 상상을
초월해.

이곳에
둥지를 짓는 시점에
이미 모든 승부는
끝난 거야.

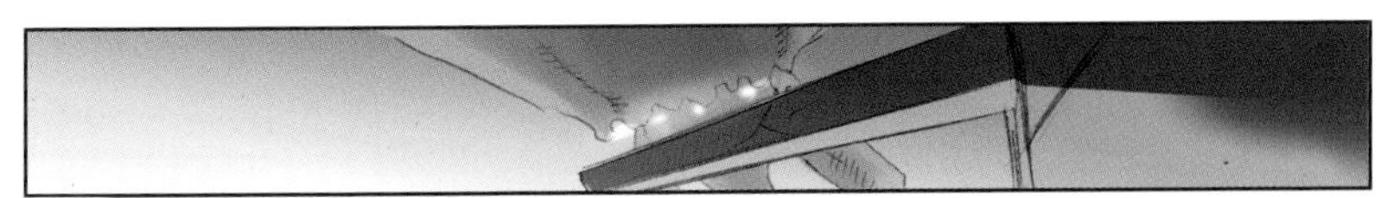

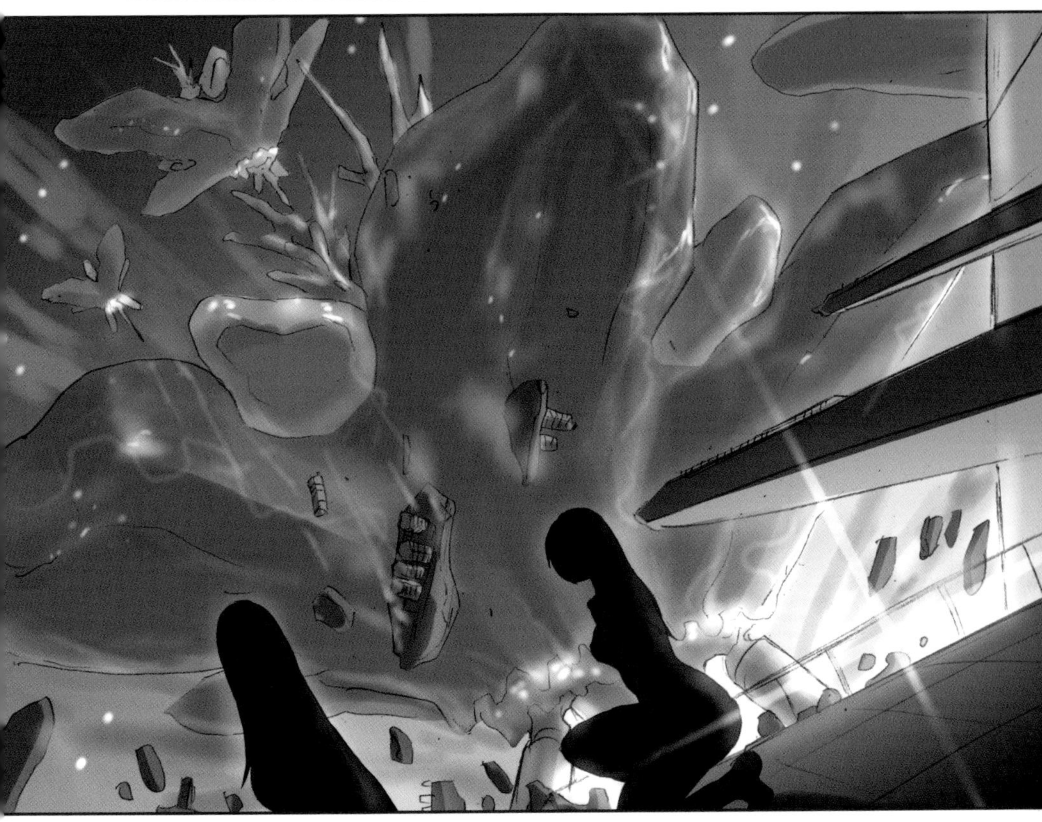

푸른…꽃.

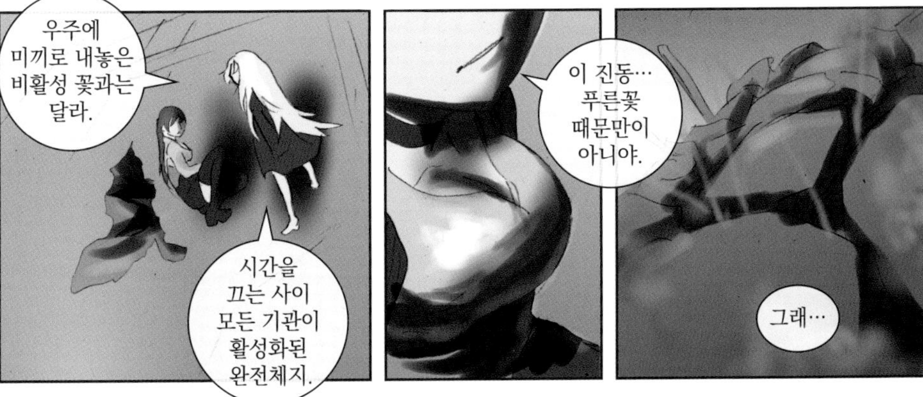
우주에 미끼로 내놓은 비활성 꽃과는 달라.
시간을 끄는 사이 모든 기관이 활성화된 완전체지.
이 진동… 푸른꽃 때문만이 아니야.
그래…

크
구
구
구
구
중앙기사단의
코어템플은 원래
대전쟁시절 우주 요새
아발론을 개조해서
세워진 거야.

구
구

구
구
다만 나는
누락된 기관을
생체 기관으로 대체해
원래의 기능을 되찾아
주었을 뿐이지.

우
우
우
수십 송이의 꽃과
그 꽃을 둘러싼 수억의
괴수에 맞서 싸우던
수백 년 전의 노바급
블랙홀 엔진
이동 요새…

성간항행요새
星間航行要塞
아발론
Avalon

행성 따위는
이제 필요 없어.

요새의 막대한
에너지를 이용해
대리 자궁 없이도
상위괴수를 대량으로
생산할 수 있게 됐어.

모든 성계의
인간을 모조리 죽일
이 꽃들과 괴수들이
너를 위해 바치는
나의 생일 선물이야.

언제나 타인의 짐을
짊어지고 살았잖아.
네 짐을 없앨 거야
앤.
네가 나를
적대하는 모든
이유들…

네가 지키려는 인간도
맞서 싸울 다른 괴수도
세포 하나까지
다 으깨 버릴 거야.

너와 나
단둘이 존재하는
세상을 위해
난……

part 67. 생일 선물 |끝|

part 68

운이 나빴어.
일격으로 끝낼 수 있었는데
사상병기가 등장하다니…

만다라
曼荼羅
제 일 단계.

어쨌든 드라이가
다다른 경지는 정말 놀랍군.
진화의 정점에 이른 초인적
인식기관으로 경험계 너머의
미래를 이해하고 현실을
조작해 비상식을
구현하는 기술.

자기개변
自己改變

자기개변 단계에서
자기 관측에 실패하면
자신의 존재도 사라져 버리는
양날의 검과 같은 만다라를
저토록 능숙하게 다루는 건
기적에 가까운 일이야.

하지만 아무리
드라이라고 해도 인간이다.
둥지 공략을 위해 모아 놓은
가진 힘과 수단을 거의 다
썼으니 발화도 만다라도
이제 한계야.

지금은 그저
저 흰 녀석의 바리사다가
본래 자신의 병기가 아니라서
근거리 조절이 익숙하지
않다는 것에 희망을
걸어야겠지.

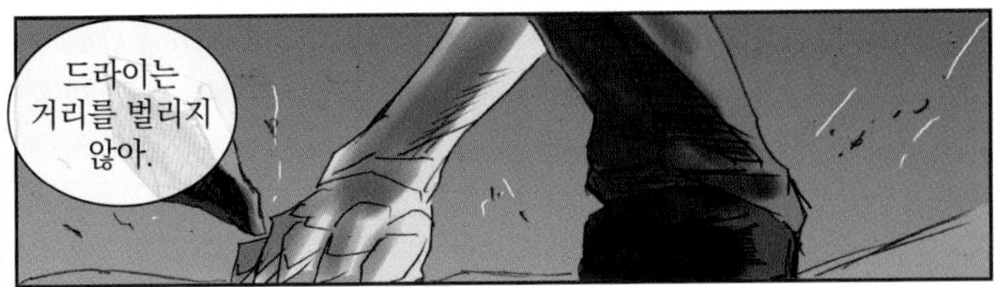
드라이는
거리를 벌리지
않아.

흰 괴수는
드라이만 상대하기도
벅찰 거다.

저 녀석은
이미 전성기의
프레이 수준으로
성장했나…

방해받지
않기 위해…

발동한다.
바리사다의…
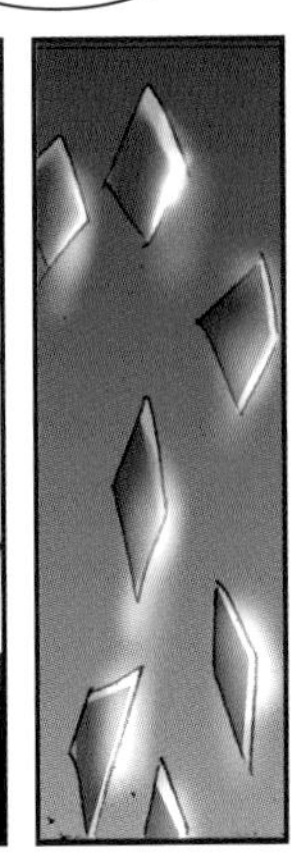

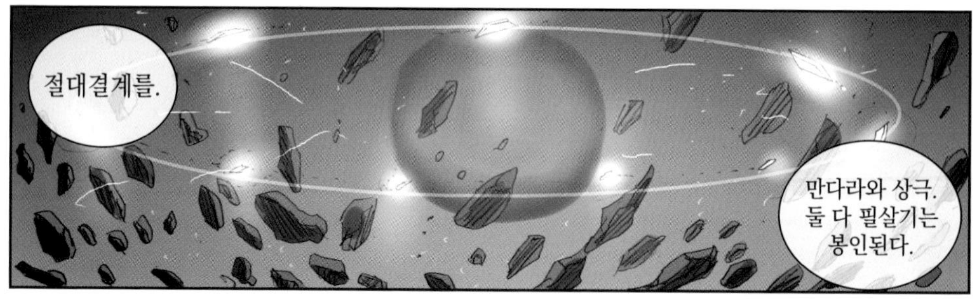
절대결계를.
만다라와 상극.
둘 다 필살기는
봉인된다.

레온하르트…
저렇게까지
진화한 거냐?

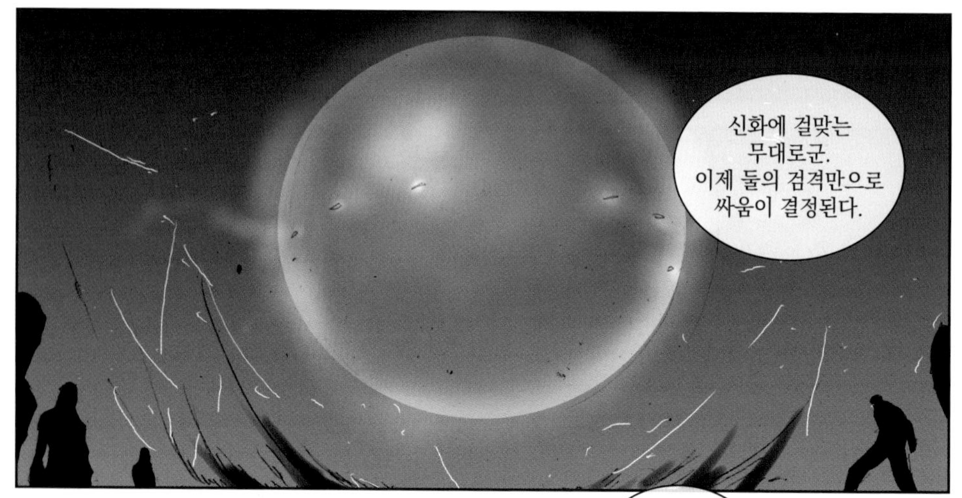
신화에 걸맞는
무대로군.
이제 둘의 검격만으로
싸움이 결정된다.

믿기
힘들군.
저 정도
레벨의 기사가
동시대에 3명이나
존재하다니…

드라이 씨가
흰 녀석을
막는 동안이
이길 수 있는
마지막 기회야.

형…
어디까지
가려는 거야.
따라잡기도
벅차잖아.

그저 평기사
하나 잡자고
만다라의 경지까지
갔다?
프레이는
도대체 어떤
녀석이야?
괴물
꼬맹…
…

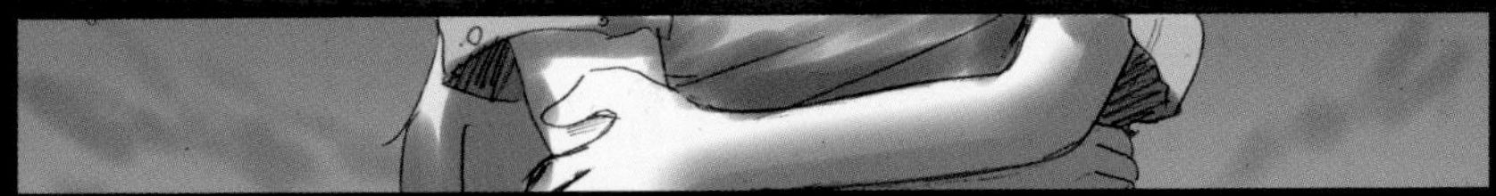

…그냥
…상처 입은
아이야.
그래서
강해진
아이.

…가자.
지휘가 흐트러진 틈에
전 화력을 집중한다.
상위괴수가
함대에 달라붙지
못하게 해야 해.

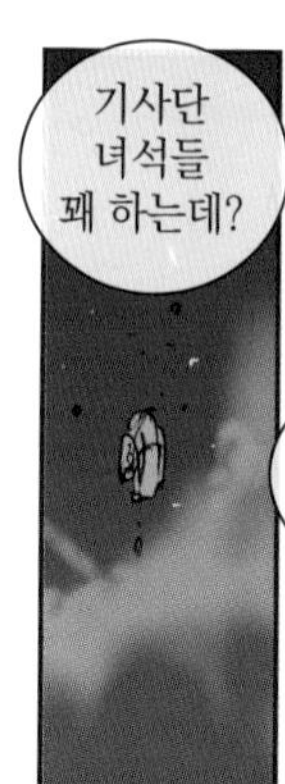
기사단
녀석들
꽤 하는데?

빌어먹을
놈들.
적 실드 안에
있을 때 몽땅
쏟아붓는다.

쏴! 쏴! 쏴!

차펠린
재기동.
빌어먹을
중앙 놈들…
콰 과 과 과 가

상위괴수
접근!!

주포로
내부침입함대의
길을 연다.
함께
처리해.

꽃의
제너레이터 루트
재확인.

발사!!!

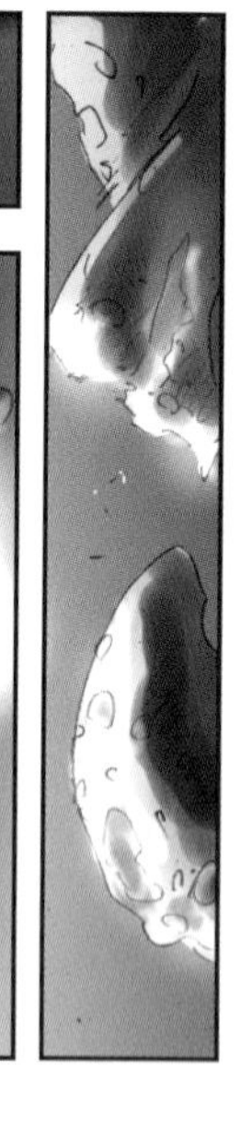

차펠린이
마킹한 지점으로
화력을 모은다.
제네레이터까지
푸른 꽃의 장갑을
뚫어야 해.
쿠아
'벌'도 대기.
목표까지
요격 장치
모두 파괴.
쏜다!!!
투두두두
두두두

제1, 제2, 제3
장갑층 융해!!!

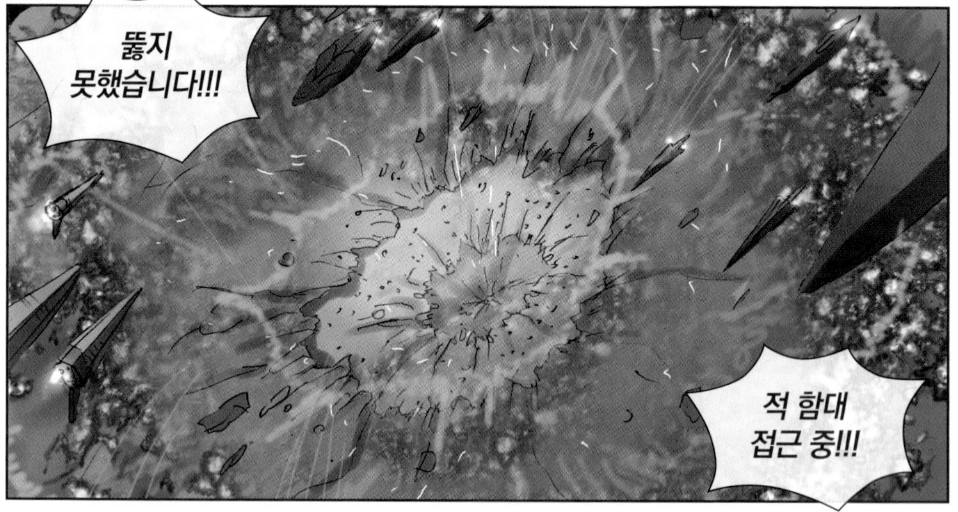
뚫지
못했습니다!!!
적 함대
접근 중!!!

락온 경보!!!
우리 쪽으로 공격을 집중하고 있습니다!!!
회피기동!!!
벌을 보내!!
부탁한다 카심!!
흥.
진홍의 활.

푸른 꽃에 이걸 쏘는 건 두 번째군.

키이이

콰

이런 이런…
이 몸이 주연이
아닌 보모 역할
이라니…

뭐 좋아.

레온하르트의
말을 믿어보지.
후임을 키우는 것도
중요한 역할이니까.

여긴
지나갈 수
없어.

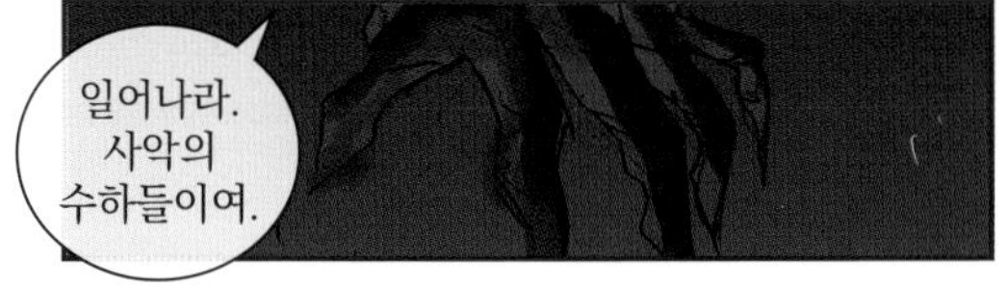
일어나라.
사악의
수하들이여.

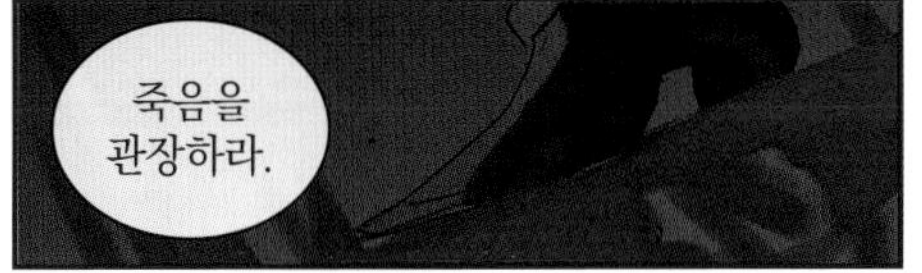
죽음을
관장하라.

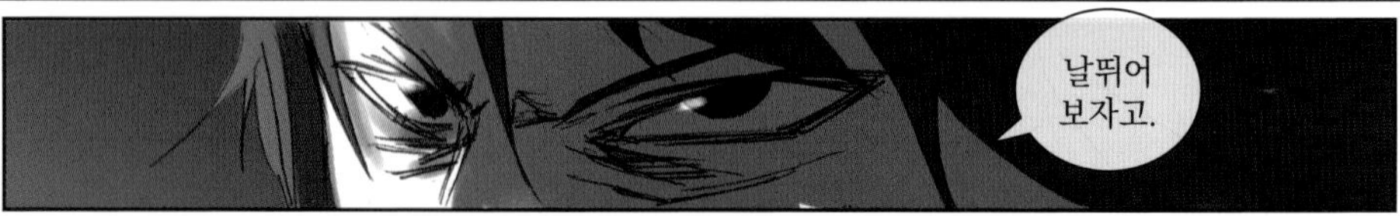
날뛰어
보자고.

기회는
적이 몰리기 전
10분 정도밖에
없어.
이 꽃의
메인 제네레이터
일곱 개 중 활성화된 건
이거 하나뿐이야.

여기다!

……
늦었다.

2식
위저드타입…
적도 적이지만
제네레이터의
내부 실드까지
작동하고 있어.
화력이
부족해…

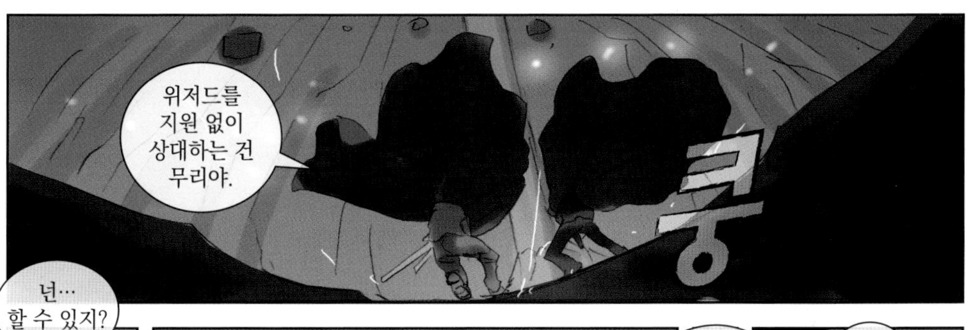
위저드를
지원 없이
상대하는 건
무리야.
쿵

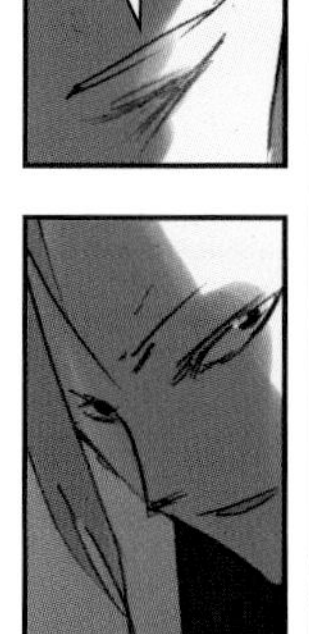
넌…
할 수 있지?

드라이 씨가
말했어.

자기를
흉내 내는 건
그만두라고.
자기 본래의
순수한 이능에서
나오는 탐욕스러운
힘을 거부하지
말라고.
드라이 씨가
믿었다면
확실하겠지.
해 봐.
…커버해
줄게.

역시 난
네가 싫어.
나도야.
그저 네 형의
말을 믿을
뿐…
…
5분.
처음 쓰는
기술이라
그 정도는
필요해.
날
지켜라.
그래.
그럴만한
실력이 있다면
말이지.
내 검류는
공참류.
프레이식이
출세하기
좋은 문파는
아니라서
남 앞에서
쓰는 건
처음이다.
프레이식.
현월 청
玄月 靑
쿠구구구구
까짓것
못할 것도
없지.

프레이식은
죄다 몸을
갉아먹는 거라…
2발 남았어.
서둘러라.
강하다는 건
힘의 세기가
아니야.
그걸
알기 전까지는
내가 널 지킬게.
뭐야
저 녀석…
펄럭
공정
시작.

나 자신을 향한 자부심과
타인을 연료 삼아 쌓아 올리는 업.

내게 부족했던 것.

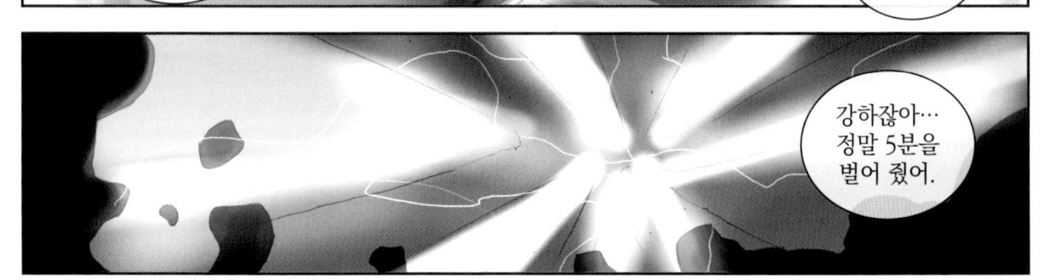
꼬맹이에게
어처구니없이
당했을 때의…
저주스러운
기술들…
강하잖아…
정말 5분을
벌어 줬어.

차
날 상대할 땐
봐주기라도
했다는 건가
애송이 주제에…
나도
한심해졌군.

생각만 했지
써본 적은
없었는데…
할 수 있나?

적의 증원이
오기 전에
적과 제네레이터를
파괴하라니…
형이라도
힘들겠지…

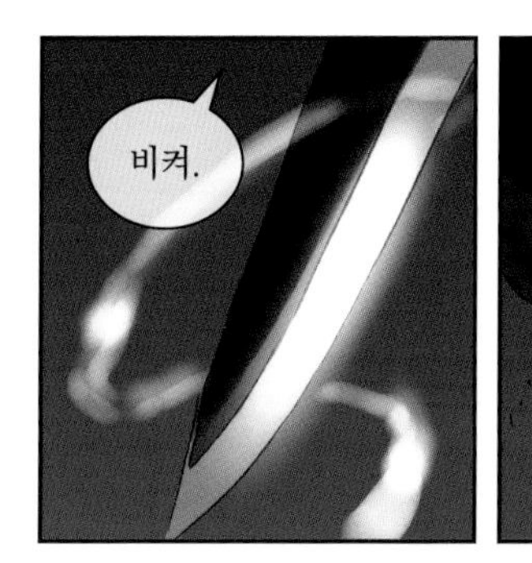
비켜.

내 최초의 오리지널 오의다.
타죽는다.

!!!

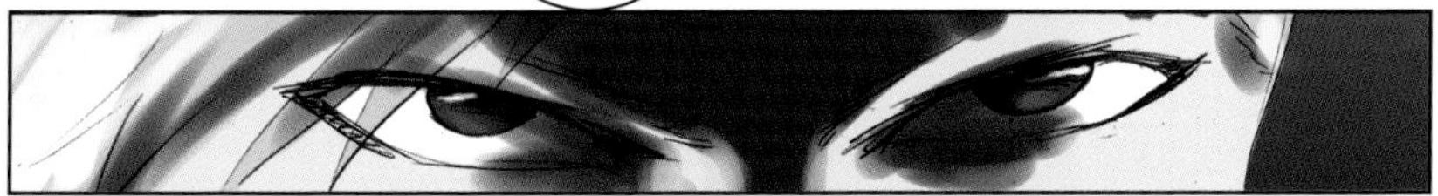

이중나선홍영
二重螺旋紅楹

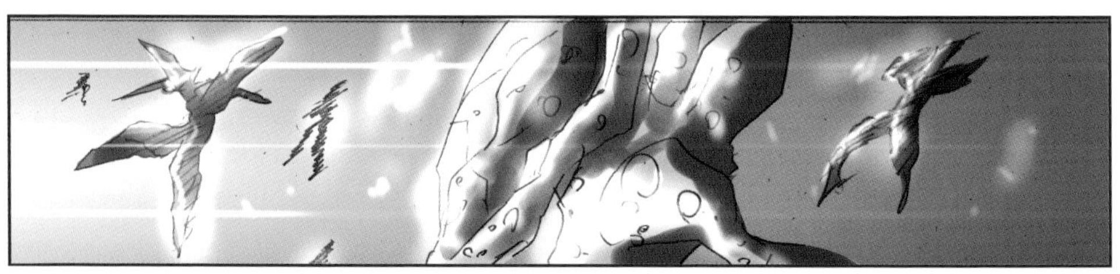

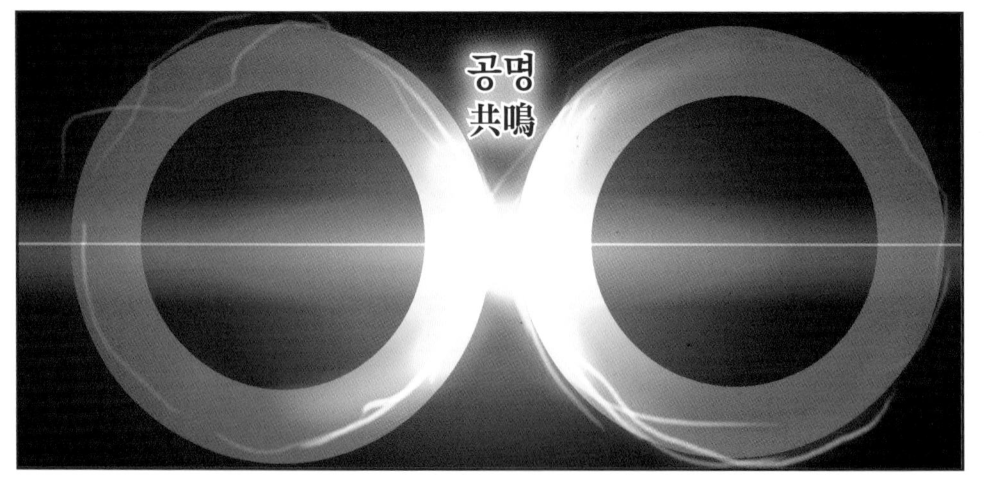
공명
共鳴

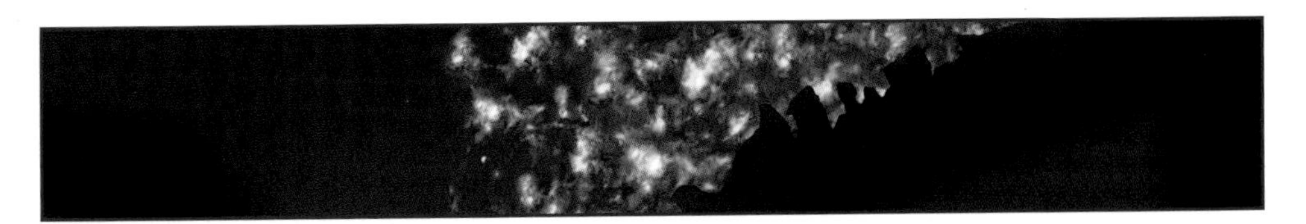

하지만 인간이
할 수 있는 게
아니야.
도대체
무슨 짓을
한 거지?

비활성
상태에서
한 개의
제네레이터에만
무리를 가한
상태이기에…
한 번의
공격으로
폭주를
일으킨다.

푸른꽃 출력이
떨어지고 있습니다.

해낸 거야
정말로?!

…거봐.
하면 되잖아
꼬마들.

해냈구나
망할 녀석들…
아직 수적으로
우리가 불리하다.
실드에서 벗어나
후방 부대에
합류한다.

흰 녀석을
묶어둔
드라이 덕이군.
그쪽 결과는
아직인가…

함대 합류
서둘러!!!
지금이 기회다!!
다른 제네레이터가
활성화 되기 전에
화력을 집중한다!!!

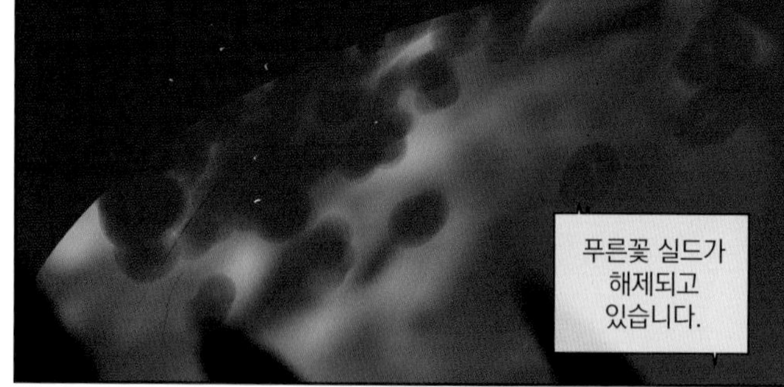
푸른꽃 실드가
해제되고
있습니다.

적 함대와 상위괴수는
아직 건재하니 섣불리
진입하지 말고 함대를
정비하도록.
이건…
이걸로
한숨은
돌렸군.
전열을
가다듬…
아뇨.
뭐?!
긴급 회피기동 실시.
대요새 전투태세
유지를 권고합니다.
…함장!!
새로운
에너지
반응이…
행성에서
올라옵니다…
뭐야 이건…
설마…
…모니터에
표시합니다.

푸른꽃
다수…
…말도…
안 돼…
제독님…

part 68. 희망이라는 이름의 착각 |끝|

part 69

Knight
Run

푸른꽃
다수…
…말도…
안 돼…
제독님…

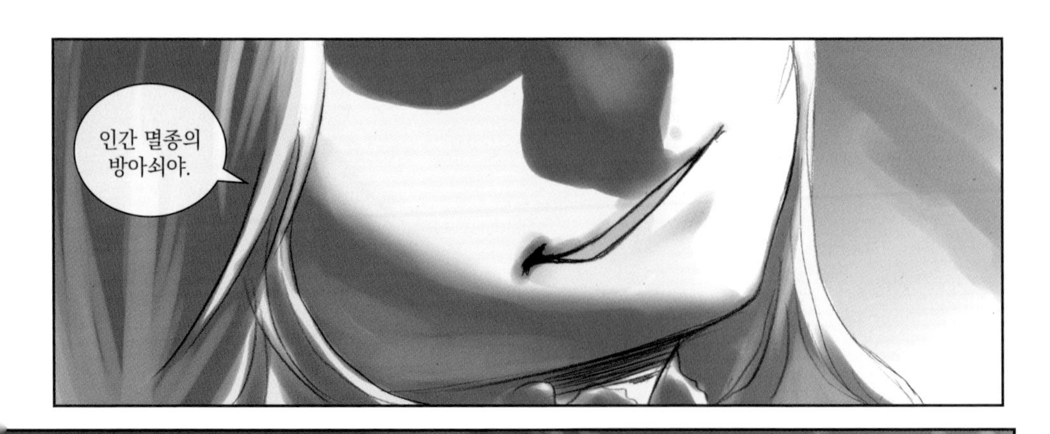
인간 멸종의
방아쇠야.

Bang!!

배리어
최대로!!
전속으로
회피!!

2, 4, 8 함대
완전 소멸!!
…본함 AI
지시에 따라
함대를
재정비한다.
서둘러!!!
저
거리에서…
중전함 파리아 중파!
파리아를 우선하라!
보급함이 당하면
끝이다!!

후방 함대는
대열을
정비한다!

크윽…

전방의 함은
푸른꽃을 방패 삼아
사선으로 집결.
후방 함대는
최대한 산개해
전방을 지원.
쳇, 그냥
찌그러져
있으셔.
이게 다
부함장 탓…
적 함대도
푸른꽃의 공격 범위를
벗어나느라 모이지 못한다.
푸른꽃 위에서 대열 정비 및
2차 포격에 대비한다.

살아남은
함은?
함대의
1/3 소실!
칫.

지휘 유닛인 영식이
1번 푸른꽃에 있는 이상
꽃을 방패로 삼으면
이쪽은 공격당하지 않아.
노심기 10기는
푸른꽃의 남은
제네레이터를 파괴해
재기동을 막도록.
저 꽃을
우리 거점으로
삼는다.
그것만으로는
부족합니다.
공중정원이…
리넬
제독?!
어째서
지원함이…
쿠
푸른꽃은
방어 병기가
아닙니다.

연속 워프가
가능한 침략
전용 병기.
지금 나서지
않으면 후퇴할
워프 포인트를
잃습니다.

대행성
핵탄두를 쓸
때입니다.
지금 포격으로
적도 요격 병력이
물러나 있어요.

푸른꽃은 이미
죽은 것과 다름 없는
아린에서 굳이 우리를
상대할 필요 없이
워프할 겁니다.

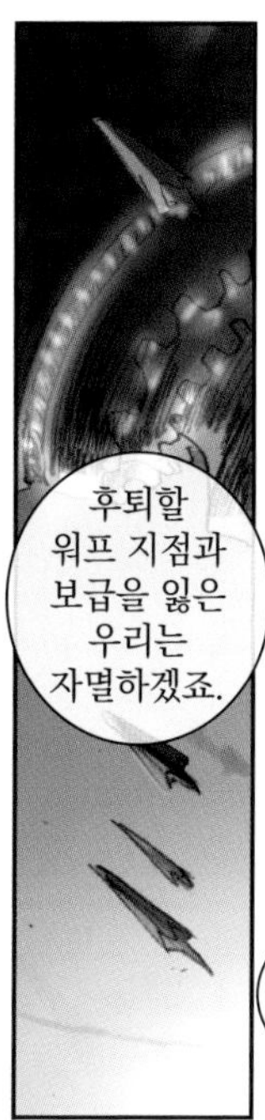

후퇴할
워프 지점과
보급을 잃은
우리는
자멸하겠죠.

맞는
말이야.
쏴.
하지만
생존자가…
반응 설정을
D로 하면 돼.
범위는 확 줄지만
30분 이상
인공 태양이
형성된다.

그럼
당분간은
푸른꽃을
저지할 수
있겠지.

그럼
갑니다.

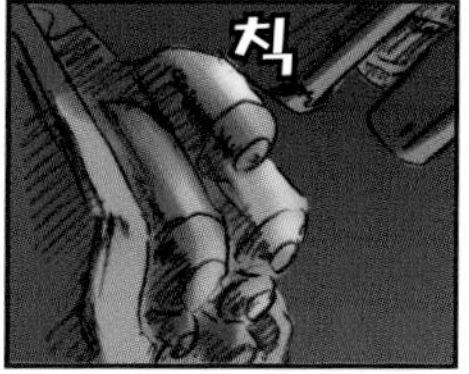

칙

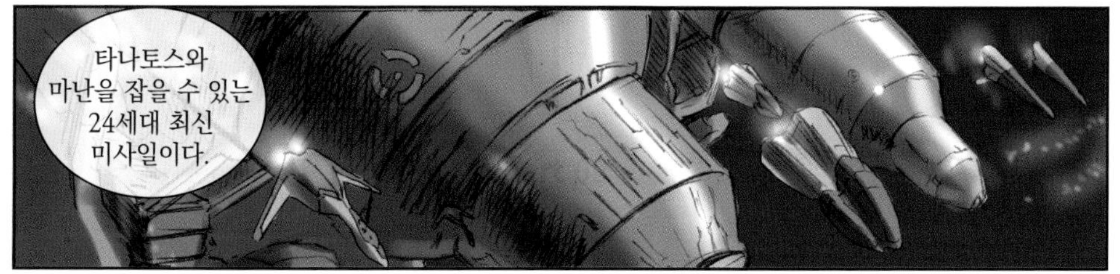

타나토스와
마난을 잡을 수 있는
24세대 최신
미사일이다.

설정 D로 변경.
발사.
공중정원을
엄호.

투화악

진입.
락온.
반응침 분리.
전자가속.

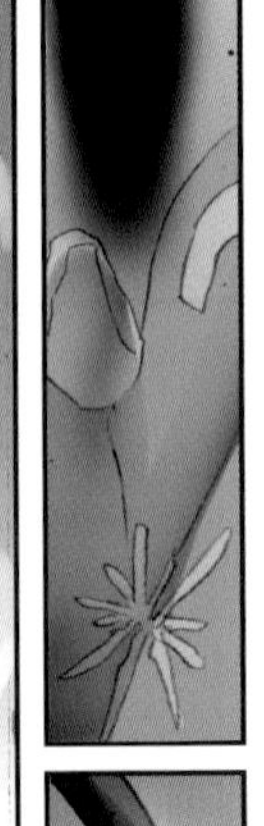

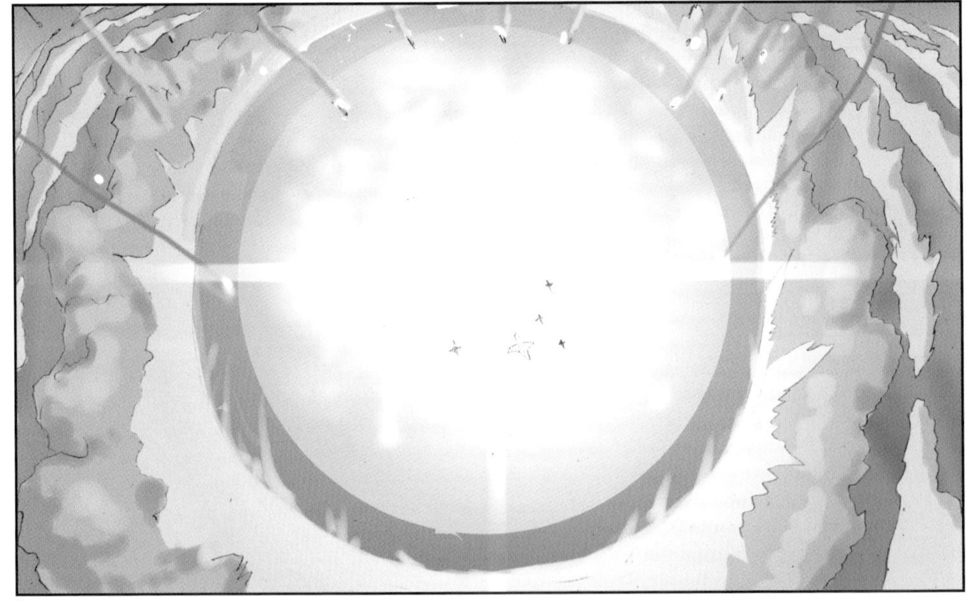

푸른꽃
워프 중지.
방어에 집중하고
있습니다.
이 정도
힘으로도
워프 저지밖에
할 수 없다니…

마지막 승부수를
쓰기 전까지
조금만 기다려라
앤…

실드라도
깎아야 해.
5분 간격으로
계속 쏴.

무슨 일이 있어도 공중정원을 지켜낸다!!
적은 이미 중앙의 정보를 알고 있어! 해킹으로 워프마커를 꺼놨어도 푸른꽃은 얼마든지 다단 워프로 위치 오차를 수정하며 인류를 찾아내 위협할 거야!!
생체게이트로 겨우 한두 번 워프하는 마난 급과는 달라! 절대 놓치면 안 된다!!
자밀기관 영향이 짙은 곳이?
광학위장 불가시 모드!!
가디언 입니다!!!
푸른꽃을…
가리고 있었어…
푸른 꽃 1기 워프합니다.
대응 늦었습니다!!
제길…

워프 인!!!
궈
예상 지점은?
토발 입니다.
빌어먹을 프레이 녀석…
행성 몇 개는 포기할 수밖에 없습니다.
지금은 다수의 푸른꽃을…
토발에는 아직 해동 중인 2차 콜드 히어로가 대기 중이지. 그 두 명을 쓴다.
토발이 당하면 후퇴로도 좁아집니다.
쾅
다음 푸른꽃 상륙 준비. 어쨌든 한 기씩 잡아낼 수밖에…

제길… 드라이 빨리…

행성 '토발'

7년 만에 엘리스 타입
출현과 중앙기사단이
침식당했다는 소식은
모든 성계를 불안과
공포에 떨게 했지만
전 기사단과 AE가
사태 해결의 전면에 나선 이상
지나치게 염려할 필요는
없다는 것이 일반적인
시각입니다.

범죄와 폭동으로
치안이 붕괴된
타 행성의 전철을
밟지 않는 현명함이
필요할 때입니다.
정말
괜찮을까?

걱정 마.
여기는
안전해.
정부 방송은
믿을 수가
있어야지…

시민들은
외출을
자제하며
뉴스에 촉각을
곤두세우고
있습니다.

정부 당국은 현 사태를
예의주시하며 대응하고
있다고 밝혔지만…

뭐지
이 반응은?

으

직

토발은 아린과 가까운 만큼
시민들의 불안도 큽니다만
거기에 대해서는 어떻게
생각하시나요?
비록 이번 괴수가 게이트 해킹이라는
초유의 사건을 일으켜 4개 행성을
집어삼켰다고는 해도 생체 게이트의
이동 거리와 오차 한계상 우리 행성을
습격하기는 어려울 것이라는 게
전문가들의 일관된 분석입니다.

뭐야 다들 쫄아서는…
여긴 전쟁 같은 거 안 나.

??

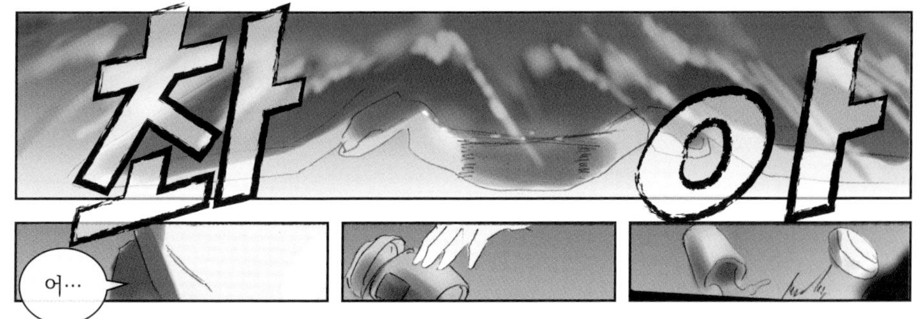
차
아

어…

저게
뭐야?

쿠
학

그러니까
피난은…

우왁!

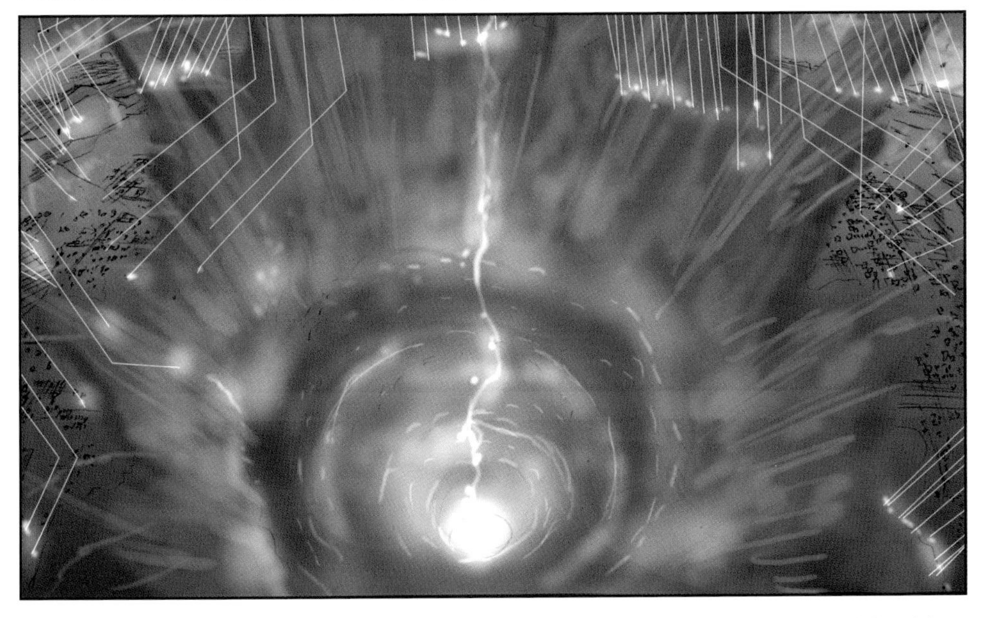

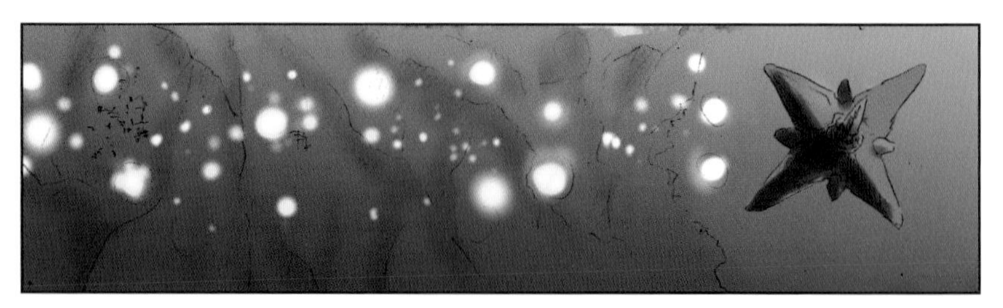

…미치겠군.

가진 건 방금 해동시킨 컨트롤 불가능 괴물과 유통기한이 지나 죽기 직전인 환자 검성.

믿을 건 나밖에 없잖아… 드라이 녀석 가만 안 둬.
쓰레기 같은 자식 뭐가 후방지원이야. 저런 병신들만 남겨놓고선.

사람들이
죽어가고 있어.
꽤 좋은
느낌인걸.
이 꼴이
그 소원의
결말인가…
프레이…

네 소원은 이 광경
어디에도 없어.

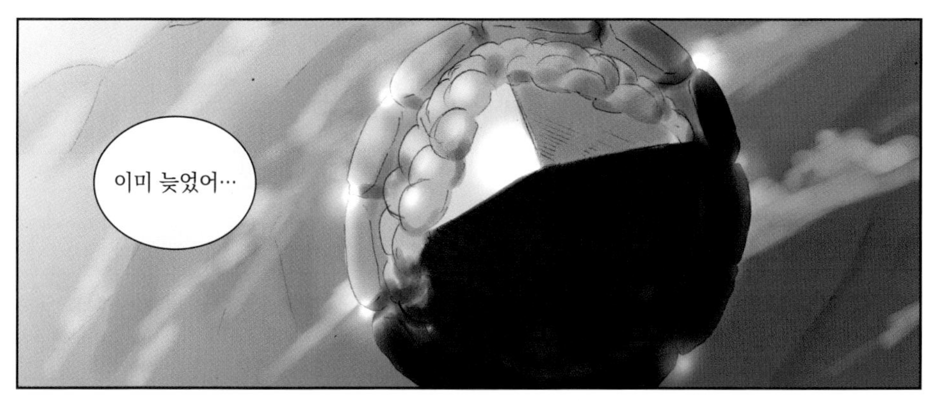
이미 늦었어…

이젠 아무도 멈출 수 없어.
어차피

인간의 시대는 끝난다.

서둘러
이동해야
합니다.

선두 차량의 필드가
인공태양의 열을 막는데
곧 한계가 올 거에요.
타죽기 전에 빨리…

…다
소용없겠죠?

적어도
그 사람은
이 상황에서도
포기하지 않고
계속 일어나겠죠.

저도
포기하지
않아요.
제가 업은 이 작은
아이 때문에라도요.
더군다나 그녀의
손에는…

그만해
프레이…

이젠
멈출 수가
없어…
너와 나
둘만 남기
전까지는…

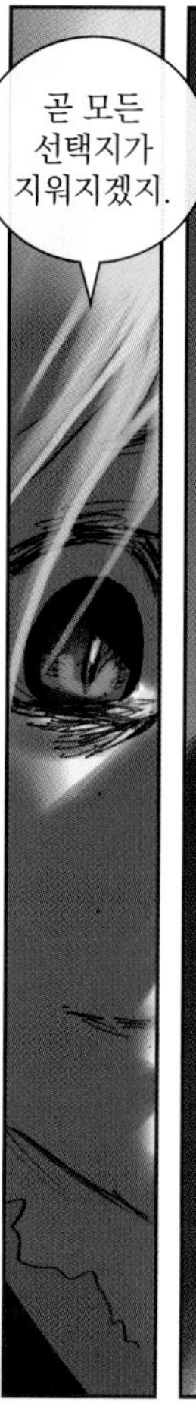
곧 모든
선택지가
지워지겠지.

이곳은
세상의 끝이야.
또한 모든 선택지가
사라져 더 이상 정답을
고민할 필요조차 없는
세상의 시작점이지.

너에게 얽힌
타인의 굴레가
완전히 사라져
버리는 거야.

존재하는 건
오직 너와 나.
이제 곧 그것이
세상을 의미하게
될 거야.
선택지를
없앤다고 정답을
모르게 되는 건
아니야.

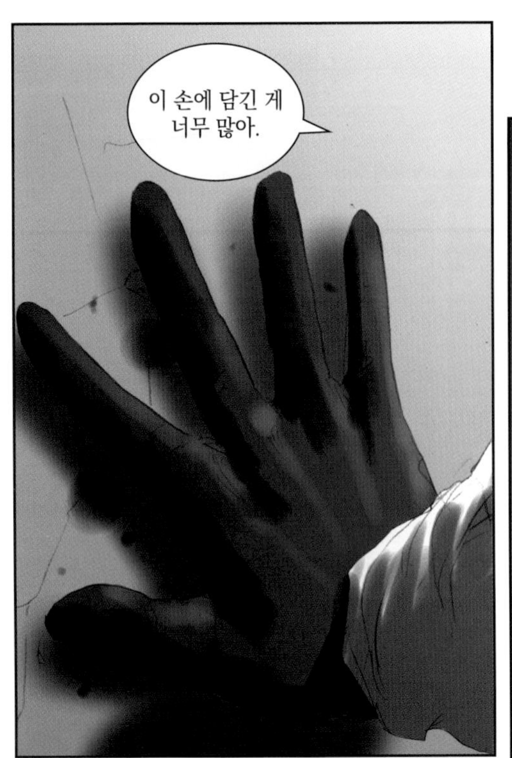
이 손에 담긴 게
너무 많아.

그러니까
너에게
맞서겠어.

날 지탱하는 건
내 손에 담긴
하나의 대답이야.

내 심장이
멈춘다 하더라도
…

눈에…
가슴에…

두 손에
담아놓은 것을…

끝까지
짊어진다.

part 69. 손안에 있는 것(1) |끝|

part 70

더 이상 연산 안정화는 무리입니다. 까딱하면 알키오네가 통째로 공중분해될지도 몰라요!
상관없어. 최종 페이즈로 이행한다.

한 번 사용하면 고작 30분 작동하고 기능을 상실하는 이런 엉터리 병기를…

인간이 이 힘을 사용하는 대가로는 싼 거야. 서둘러!!!
…이 연산을 인간이…? 버틸 수 있을 리가…

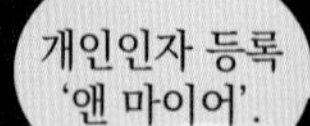
개인인자 등록 '앤 마이어'.

Anne

너무 앞으로 나갔습니다! 알키오네, 무슨 생각을…

잃을 만큼 잃었다.

이제 내 차례인가…

적이 이쪽을 끝내려고 깊이 파고 들었어.
푸른꽃의 공격 범위를 피하느라 진형도 흐트러졌고.

갈 수 있어…
혹시라도 퇴함 명령 같은 거 내리기만 하세요.
노인네 혼자 부인 따라가겠다고 청승떠는 꼴 전 못 봐 줍니다.
아린 출신들 마음은 같아요. …다 같이
살아서…
오퍼레이션 블레이드 폴.
같이 가요 노인네.
미친놈. 죽고 싶어 환장했구먼.

그래…
가자고.
아린 단체 관광.

고향에서
죽는 것도
나쁘지 않지.

오퍼레이션
'블레이드 폴'
시작.
각 함은
작전행동에
들어간다.

진짜
그 미친 짓을
하는 건가?
하여간 아린
놈들은…
…차펠린
알키오네를
엄호합니다.
…공중정원도
앞으로 나가
엄호한다.
본 함은…
어쩌겠어.
맷집으로
밀어붙여.
날 싫어하는
줄 알았는데?

싫죠.
그러니 빨리
죽으라고
등 떠밀잖소.
전 함,
화력을 집중해
길을 만든다.

노튼 제독.
…건투를…

본 함은
단기로 아린 강습 후
작전 행동을 취한다.
괜히 SCR드라이브를
달고 다니는 게
아니니까.
영화는 많이 봤는지
말리는 놈들
하나 없어.
얄미운 놈들.
제대로
미친 짓이지만
부함장 무서워서
퇴함 명령은
못 내리겠다.

실패해서는
안 되는
도박이고
나 혼자는
약해빠진 영감일
뿐이니까…

함께 해 준 걸
감사 정도는 해 주마
바보들아.

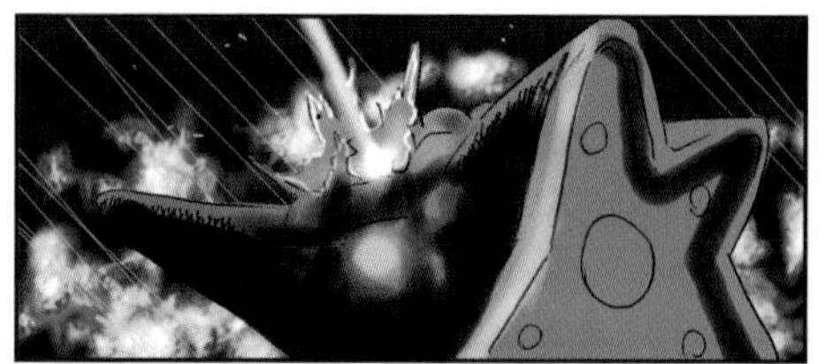

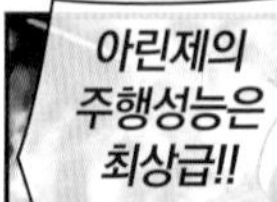
아린제의
주행성능은
최상급!!

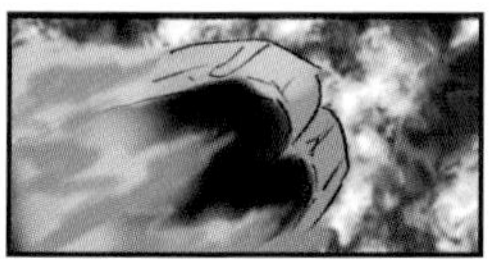
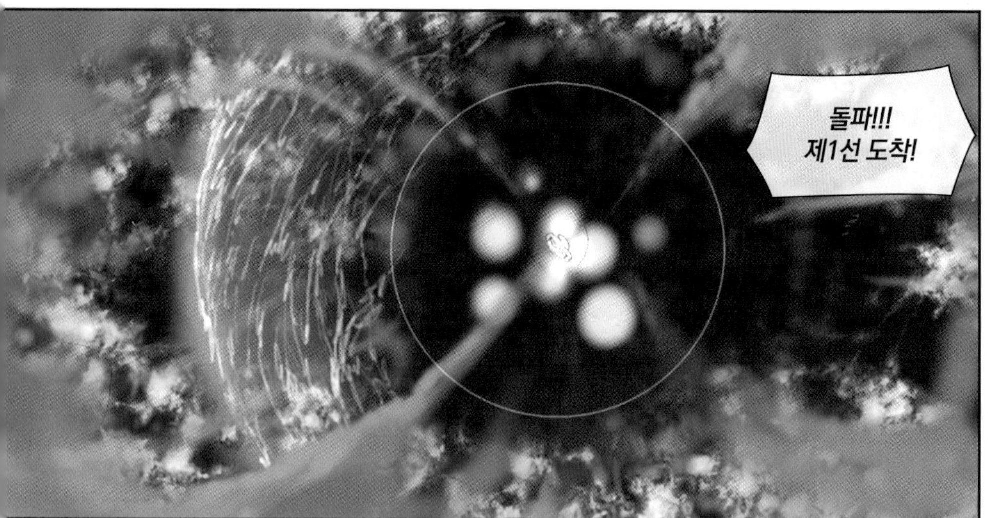
돌파!!!
제1선 도착!

경로 계산 완료.
예상대로 푸른 꽃의 포격 코스는 텅 비었습니다.

아린행 급행열차
티켓 구매 완료.
코스
올 그린!!!

갑니다!!

오랜만의…

귀향이다…
가서 한 방
먹여주자고.

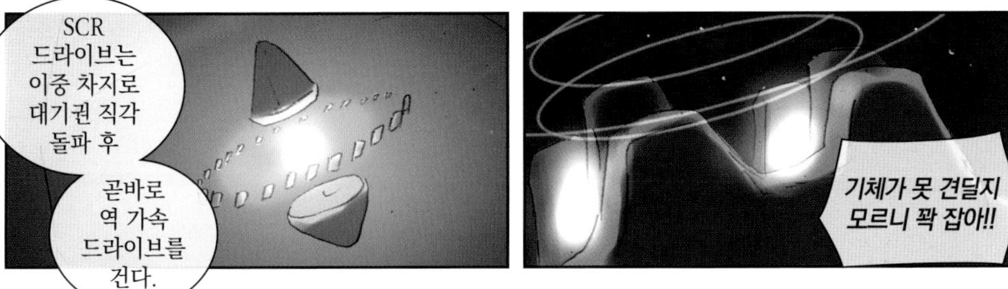
SCR
드라이브는
이중 차지로
대기권 직각
돌파 후
곧바로
역 가속
드라이브를
건다.
기체가 못 견딜지
모르니 꽉 잡아!!

벨치스전의
승리를 기념한
조촐한 자리입니다.
모두 편하게
즐겨주세요.

마이어 씨
이쪽 좀…
저…
저기…
이야기 좀
해주세요.

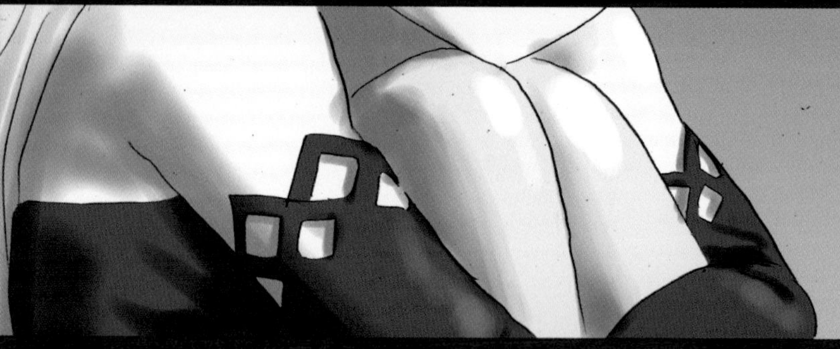

시시해.
좀 비켜 주세요.
자…잠깐 우왓…
마이어 씨 갑자기 미시면…
이런 귀여운 아가씨한테 아무도 춤 신청을 안 하다니 다들 보는 눈이 없네.

한 곡 추실래요
아가씨?

기꺼이.

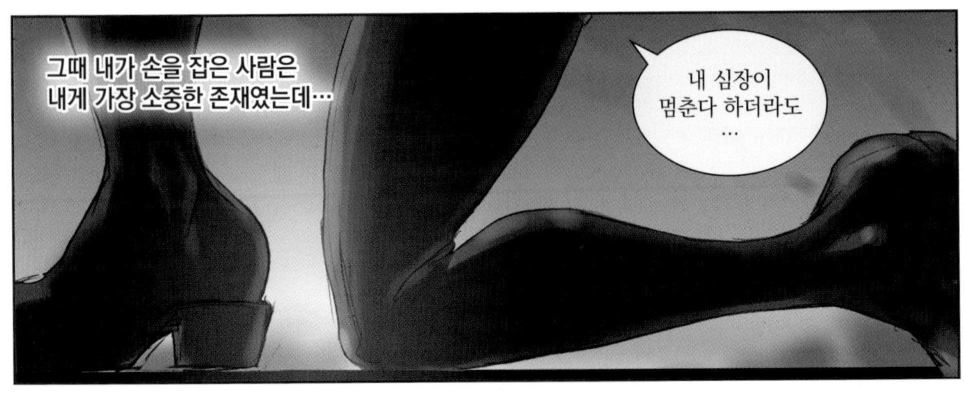
그때 내가 손을 잡은 사람은
내게 가장 소중한 존재였는데…
내 심장이
멈춘다 하더라도
…

눈에…
가슴에…

두 손에
담아놓은 것을…

끝까지
짊어진다.

이 무게와…
너에 대한 결심이
지금의 나…
앤 마이어니까.

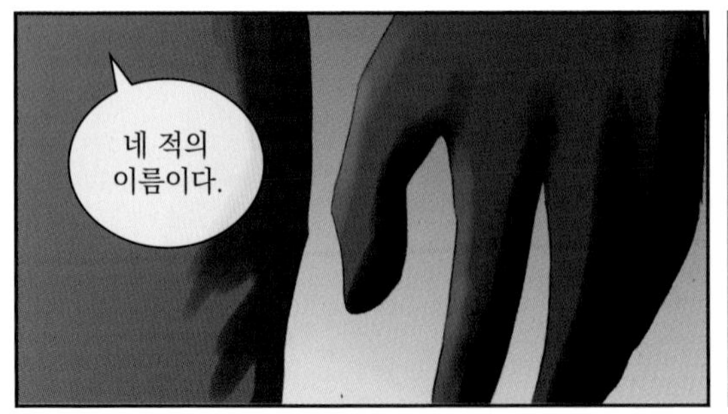
네 적의
이름이다.

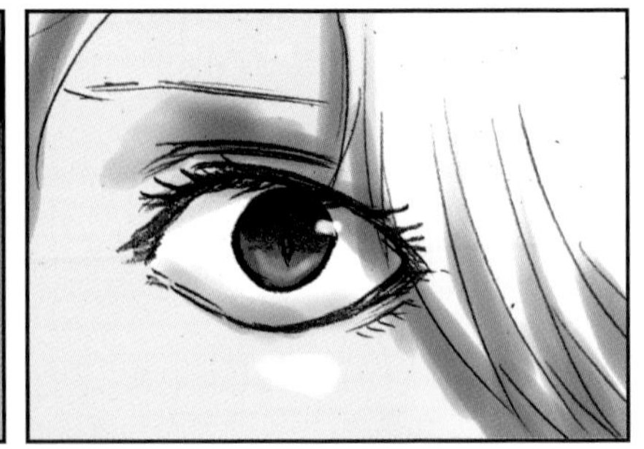

아무 소용 없는
몸부림이란 걸
모르지 않을 텐데…
고집쟁이.
언제나
그렇게
앤은…

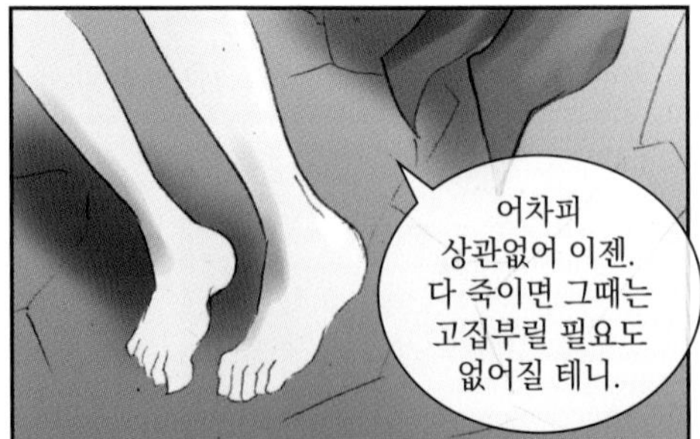
어차피
상관없어 이젠.
다 죽이면 그때는
고집부릴 필요도
없어질 테니.

그때까진…

사지를
잘라내면 당분간은
조용히 있겠지.
강제로라도
함께하게
만들어야지.

너답네.
프레이.

해 봐.
할 수 있다면
말이지.

그런 고집도
앤의 매력
이지만…
가 있을게.
네 비명을
듣는 게 그렇게
유쾌하지는
않을 테니까.

토막 내 버려.
단, 죽지 않도록
머리와 몸뚱이는
남겨 둬.

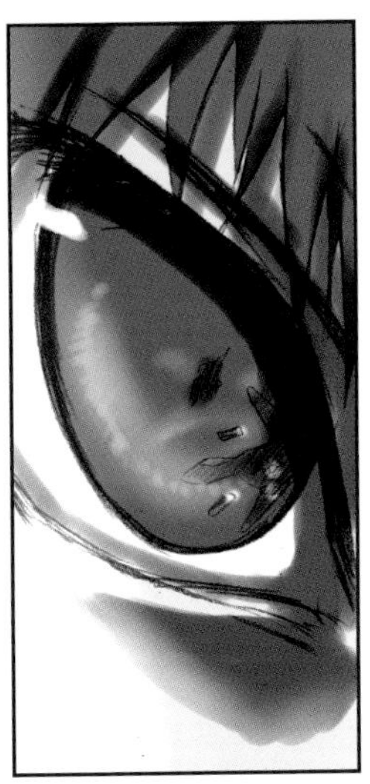

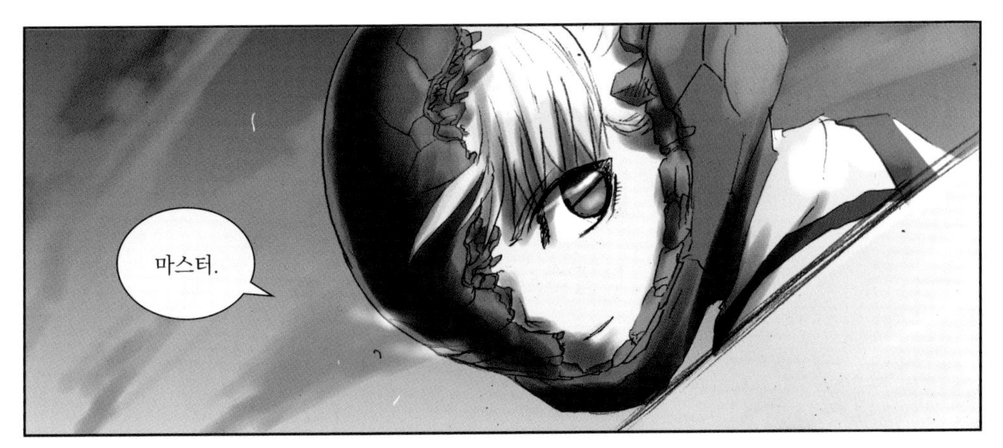
마스터.

오지랖
넓기는…

하여튼
손 많이 간다니까…
추가 요금 청구할 때
두고 보자.
너도
솔직하지 못한
녀석이군…
앤을
엄호한다.

어렵게 보급 받은
토르 박사의 대괴수탄.
이거라면 잠시나마
상위괴수도 몸을
사릴 거다.

Roger.

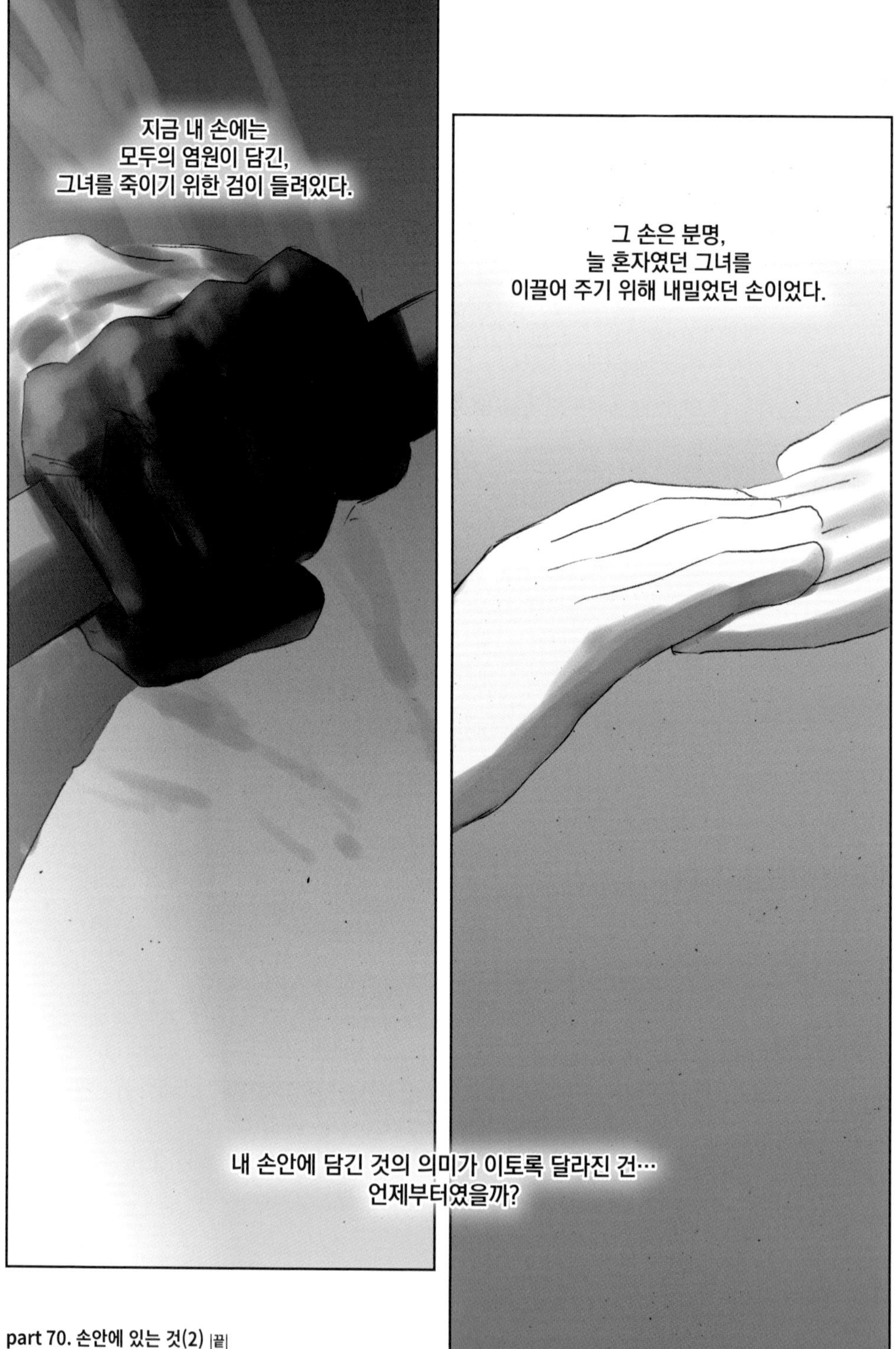

part 70. 손안에 있는 것(2) |끝|

part 71

쾅
엉

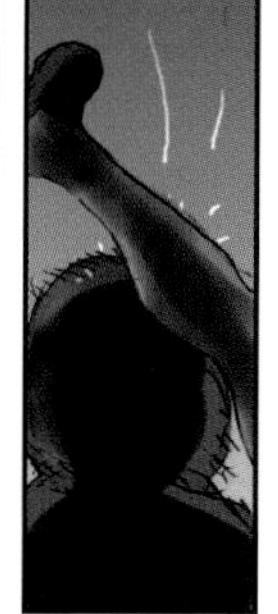

휘릭

푸
직

저 녀석…
첫 기습 외엔
공격이 안 먹히네요.
눈을 잃었는데도…

바 바
바바바바
바
바
바
바바바

나이스.
재머탄에 우왕좌왕하네. 양산형이라 전자전 장비가 생략됐나?
이걸로 시간을 좀 더 벌…
제길!! 슬슬 공격을 결심한 모양이다! 상위괴수 상대는 무리야!!

킹

돌입의 미끼였던 앤의 노심기!!
벌써 입구의 함을 떨어뜨린 건가?! 굉장한데!!!

우리도 슬슬 빠…

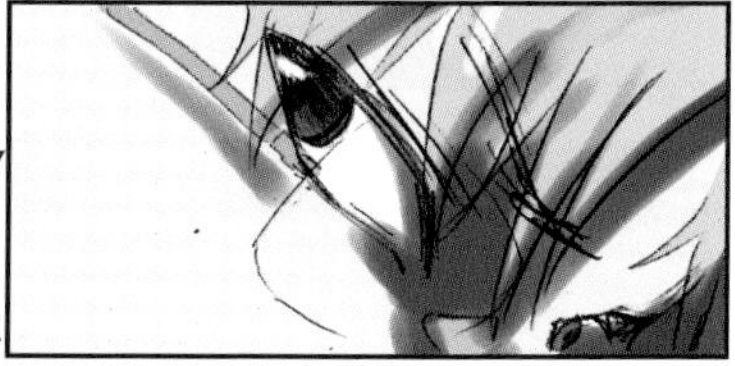

어…어떻게 좀 해봐요 웡 소령.
탈출 레버 대신 당겨줄까?

치킨들. 뭘 쫄고있어?
신형 대괴수탄을 선사할 테니 울지 말라고.

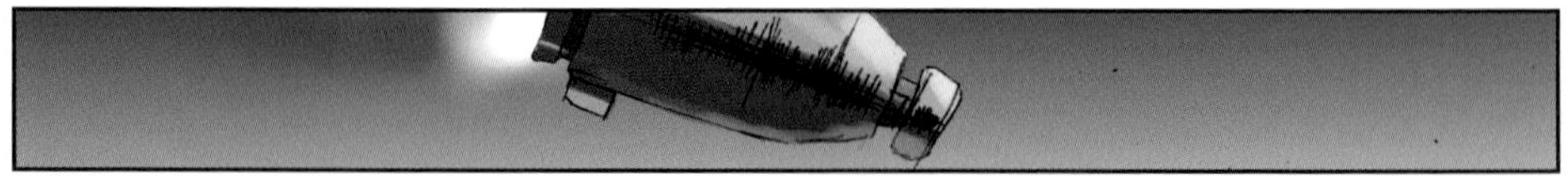

콰
앙

웅
펑
미안, 준.
뭘 이제
와서…

콰아앙

왜 제멋대로 죽고 난리야.
그렇게 내게 모든 걸 걸면…

계속 짊어져야 하잖아.

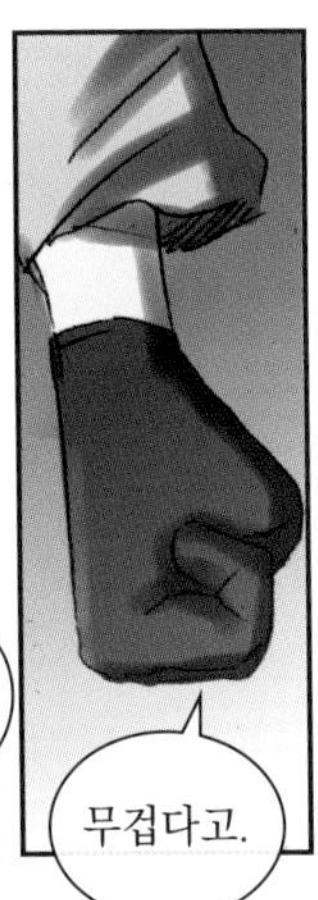
무겁다고.

멍청이들…

쿠웅

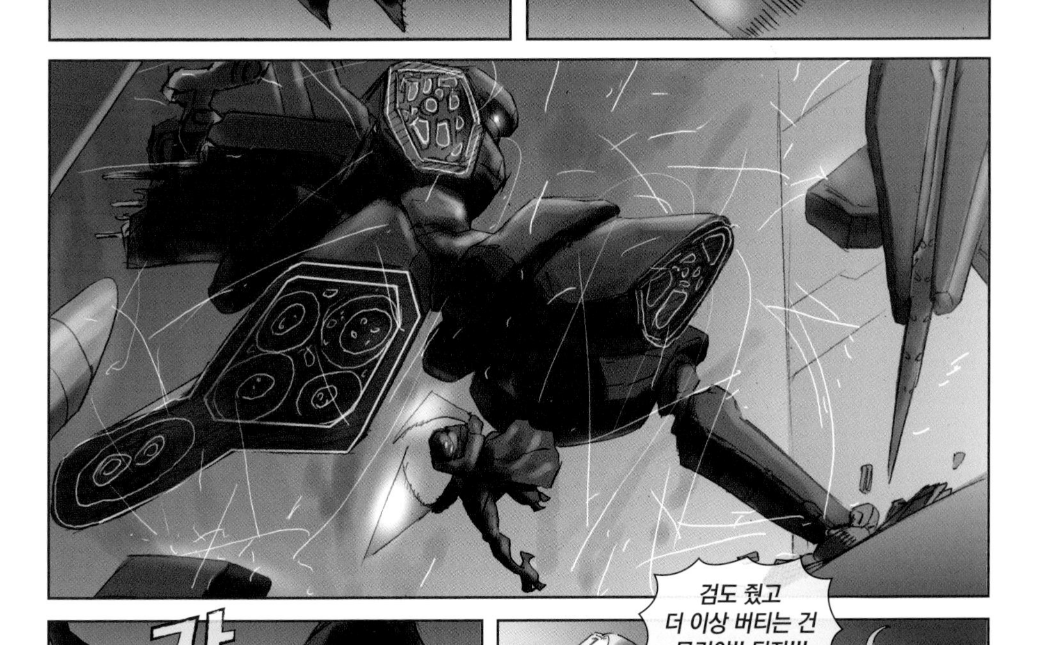

캉
검도 줬고 더 이상 버티는 건 무리야!! 튀자!!!

제길!!! 우리가
목표인가?!!

차
악

미안하지만
못 보내 주겠다
큐피.

우린 이만
빠진다!!!

옵니다
마스터.

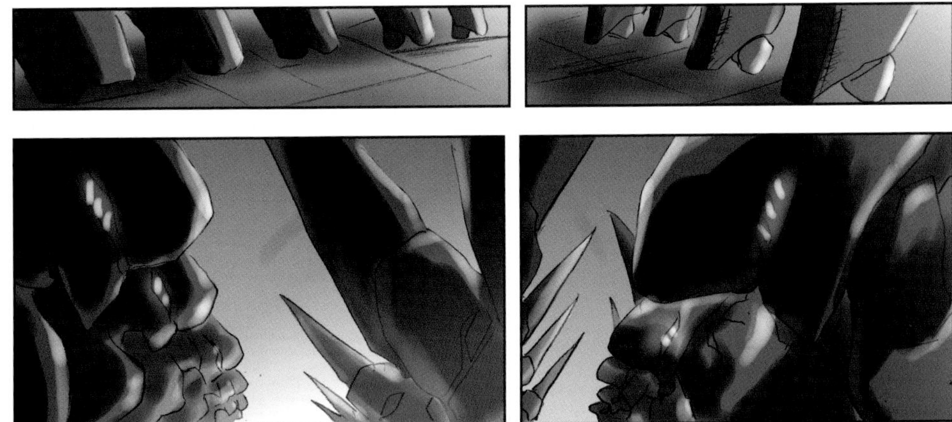

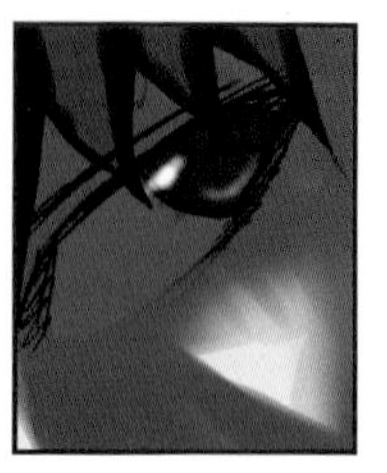

발악하는
꼴 하고는…
아무짝에도
쓸모없는
희생일 뿐.
쓸모없는
희생?
깔보지 마.
그들은 산 자의
의무를 다해 줬어.
그리고
너에게 치명타를
날릴 기회를
만들어 줬지.
마스터,
열쇠검 반응.
왔습니다.
나의…
…아니.
인간의…
비장의
일격이야.

파
사출구
올 오픈!!!!
팟
빌어먹을 앤!!
네 심부름하러
이 몸이 납시었다!!
펑
피격!!!
실드 다운!!
2번 제네레이터
기능 정지!!!
한계입니다!!
빨리
사출을…
으아아아아!
알아 안다고!!
휩쓸려
내려간다!!
꽉 잡아!!
고장난
레일은
수동으로
밀어!!!!
가랏!!!!!
파
사

연산인계,
분해 시작!!!

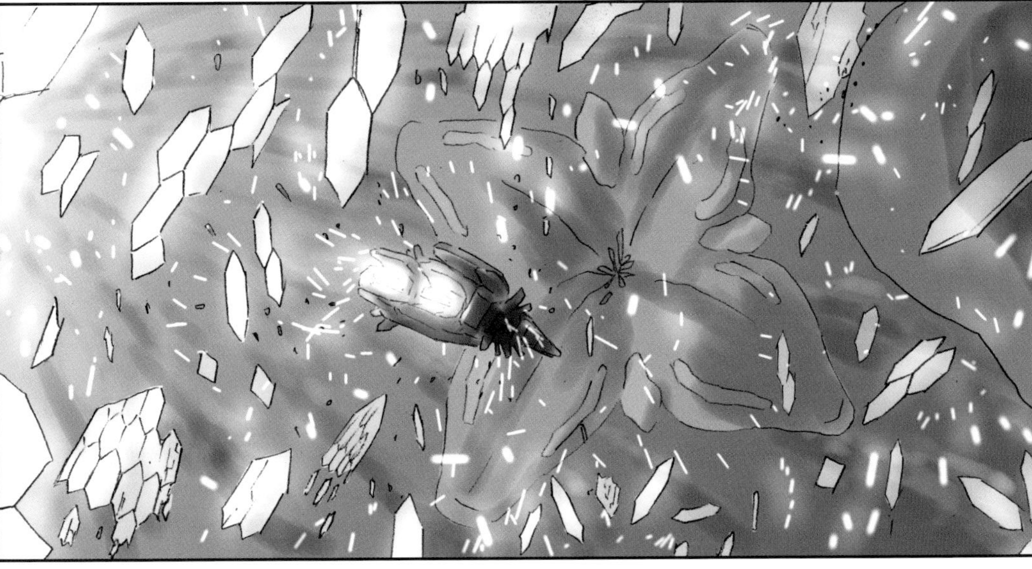

아린
촌놈들.
정말…
수고했다.
모두.
어때요
제독?
고향 구경은.
정말 볼 게
아무것도 없는
촌 동네라니까.
그럼 촌년에게
바통 터치다.

제독.
그리고…
나를
여기 있게 해 준
모든 사람들에게…

감사를.

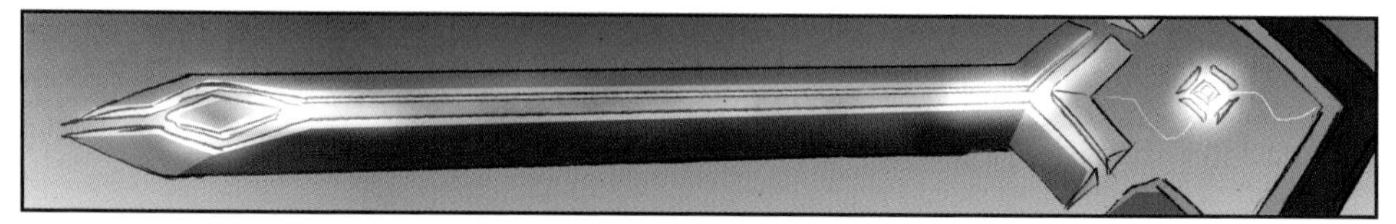

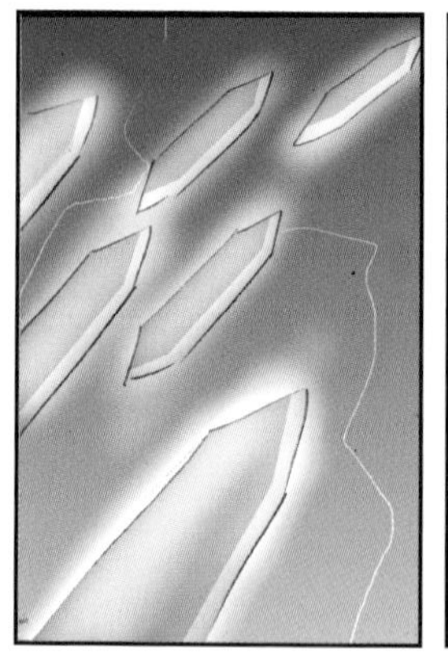

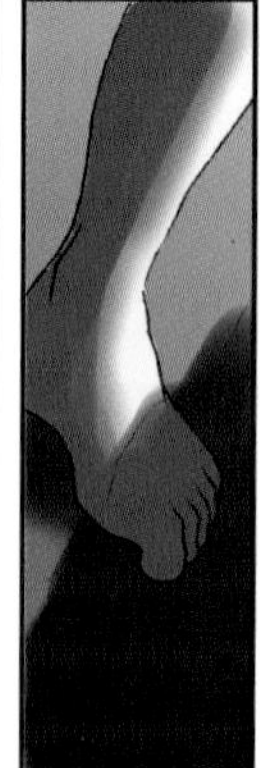

저건…

인피니티 라인.
Infinity Line.

차
아
아
아
'내 검은 하늘에.'

검에 새겨진 문구야.
한정사상병기.
기억나…
북쪽에서 만들던 마더나이트의 마지막 검…

그래… 그때 널 북쪽에 보낸 명령은…

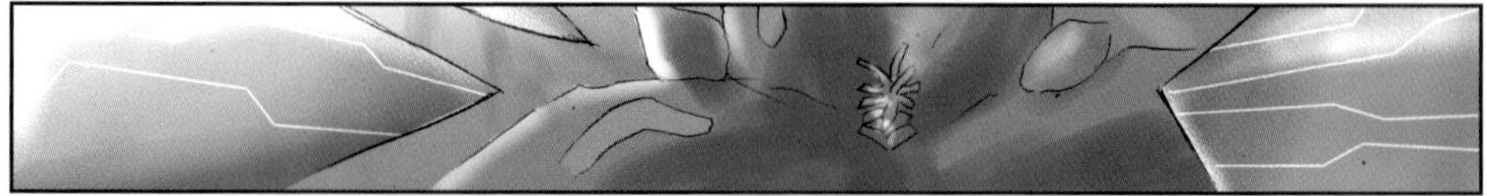

파삭
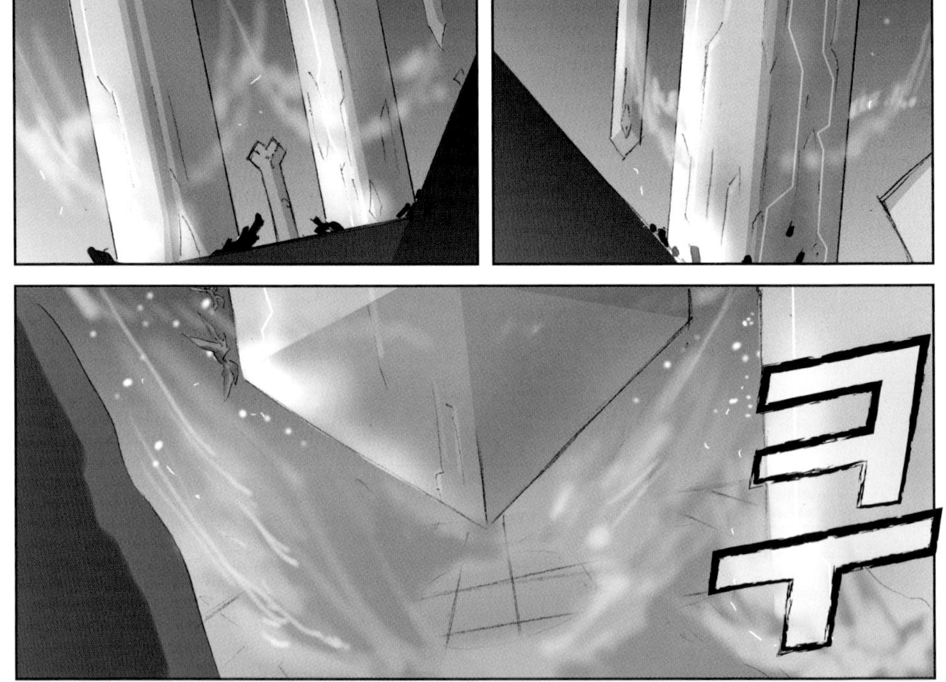
쿠

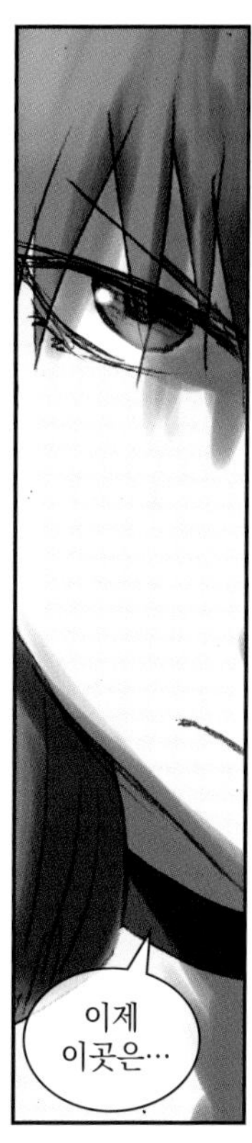
이제
이곳은…

나의 '세계'다.
1200번 검
'인간의 시대'
Human Age

본래는 새로운
인간의 시대의 시작을
알리기 위한 검.
그리고
지금은…

너를 막기 위한
인간의 의지다.

말장난은…

사상병기의
복제품에 불과한
조악한 장난감을…

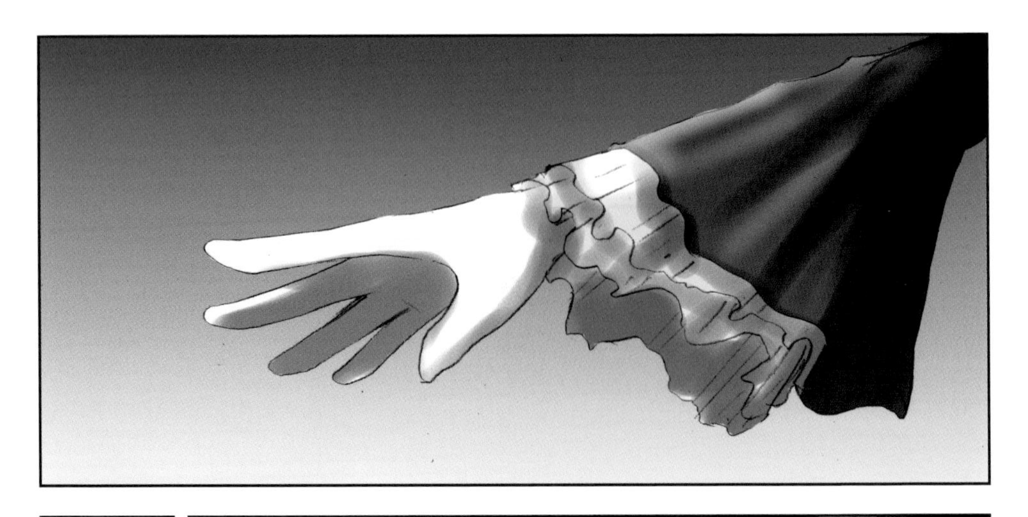

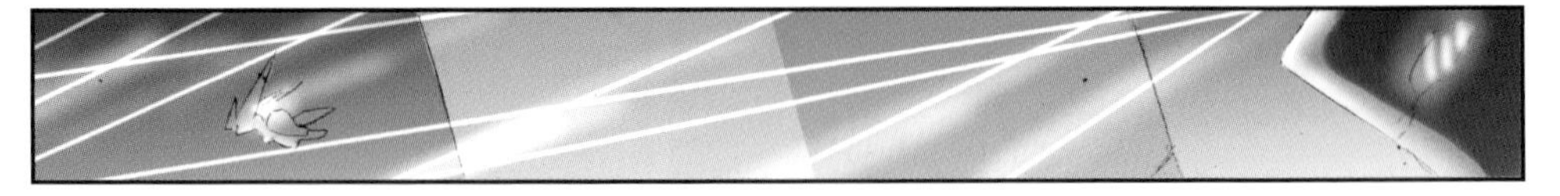

AB소드 675번
자율유도 검.
소울 애로우
'Soul Arrow'
10,000 자루.

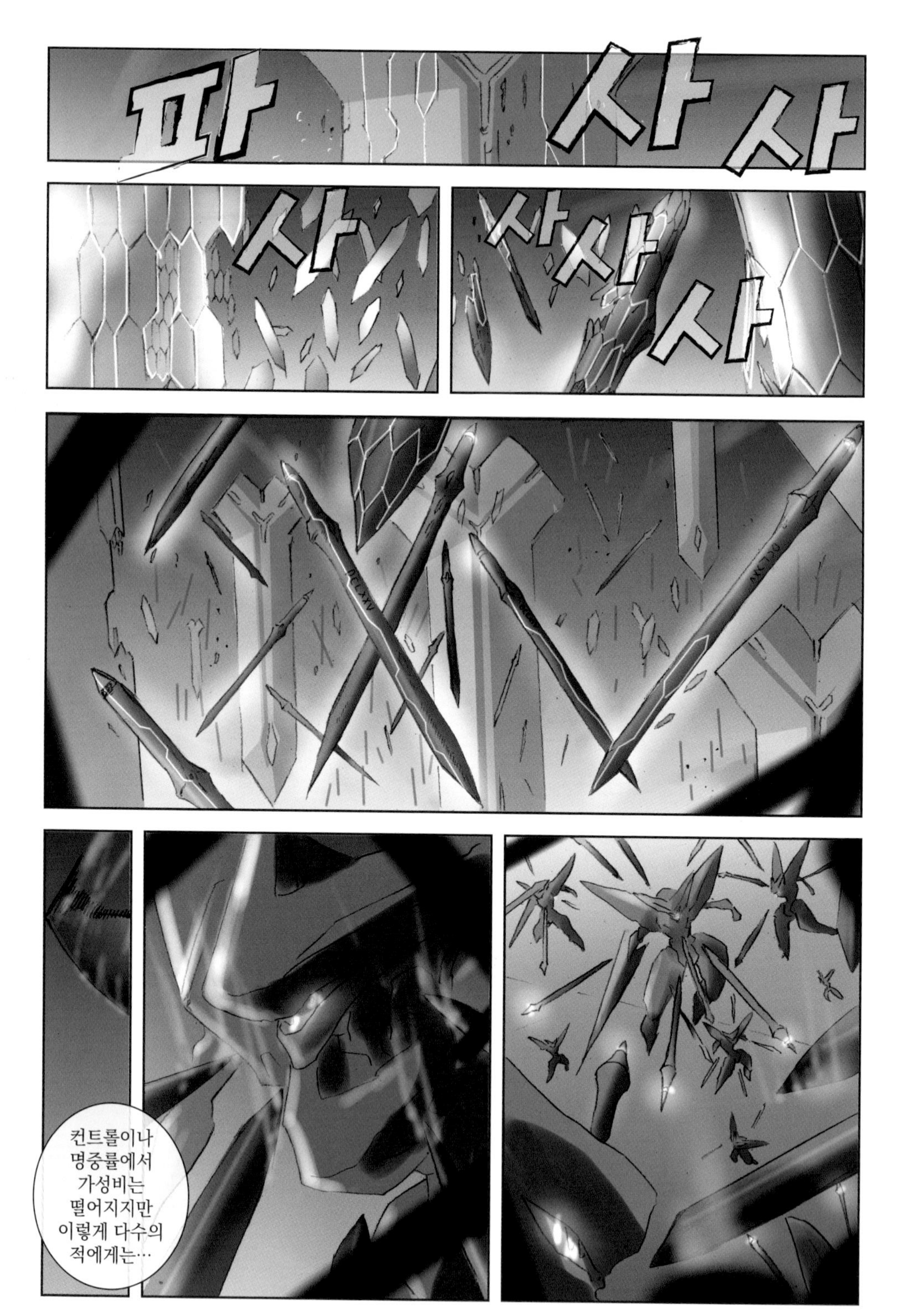
파
사사
사
사사
사
사
컨트롤이나 명중률에서 가성비는 떨어지지만 이렇게 다수의 적에게는…

Set.

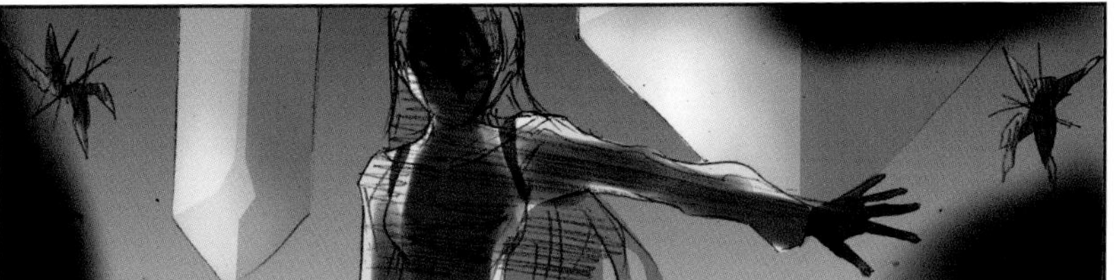

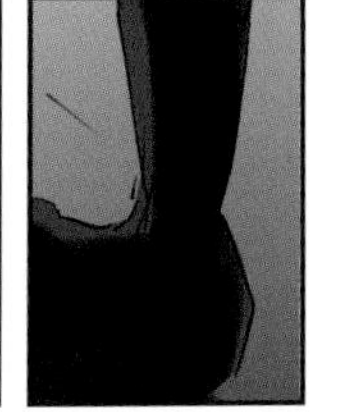

part 71. 내 검은 하늘에 |끝|

part 72

사상력…
결국 잭 노튼의
도박이 성공했군.
실패하더라도
알키오네 폭주로
초소형 블랙홀이 생성되면
푸른꽃 몇 개는
집어삼킬 수 있다는
계산이었겠지.
우리까지
말려들 위험이
있음에도 불구하고…
혼자 잘났다
이거군.
적의
포위망은 좁혀 오고
퇴로는 거의 막혀 간다.
후퇴할 수 있는 건
지금뿐이지.
중요한 건
푸른꽃 이상으로
행성에서 뿜어져 나오는
괴수들…

이 상황에서
우리가 할 수 있는 건
한정돼있다…
마커가 없는 이상
워프로 후퇴하면
다시는 이렇게
적의 둥지 깊숙히
올 수 없어.

결국 결심이
부족한 건
나였나…

노튼 녀석…
언제나 내게
시시한 군인적 사고에
빠지지 말라고
말하곤 했지.
야전교범 말고
인간을 보라고.

어차피 이길 수 없는
싸움에서 무얼 하느냐가
중요했던 거야.
제독…

앞으로 이렇게 적의 중심부에 모일 수 있는 기회는 다시 오기 어렵다.
이 행성에선 앞으로 괴수가 3만 기는 더 나오겠지.
결국 푸른꽃이 워프로 침략의 길을 열고 괴수들이 우리 주요시설을 급습하는 전략이다.
하지만 인간은 푸른꽃과 싸우는 법을 배웠어. 드라이와 기사단, AE가 있는 한…
수백억의 인간이 죽는다 해도… 언젠가는…
언젠가는 이긴다…
언젠가는…
…반드시…
이 함대는 포기해도…
미래는 포기할 수 없어.
알키오네의 돌입으로 입구가 아직 혼란스럽다. 이 기회를 잃을 순 없어.
우리도 간다.
마이어 기사를 엄호하든
적의 생산 기반을 타격하든
적의 중심부를 노릴 수 있다면 뭐든 한다.
그것이 조금이라도 미래로 이어진다면…

호오.
5할이
당했나.
물리 강제는
불가능해 보여도
생각보다 괜찮네.
하지만
두 번은 안 당해.

그렇게
오래 사용할 수
있는 것도
아니겠지.
한 번 더
수로 밀어붙이면
바로 몸의 한계가
올 거야.

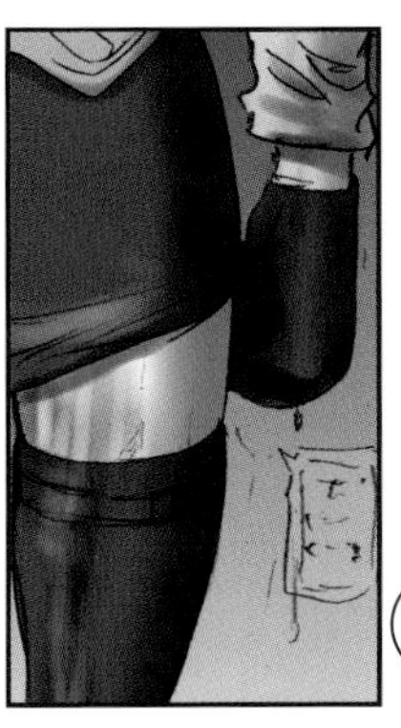

…

그리고 그렇게
사용하다간
죽을 거야…

그게 뭐?

…치사해.

형성.

15번 검 그린링 (Green Ring) 2기
10번 검 스퀘어 (Square)
13번 검 프라이데이 (Friday)
675번 검 소울 애로우 (Soul Arrow) 10기

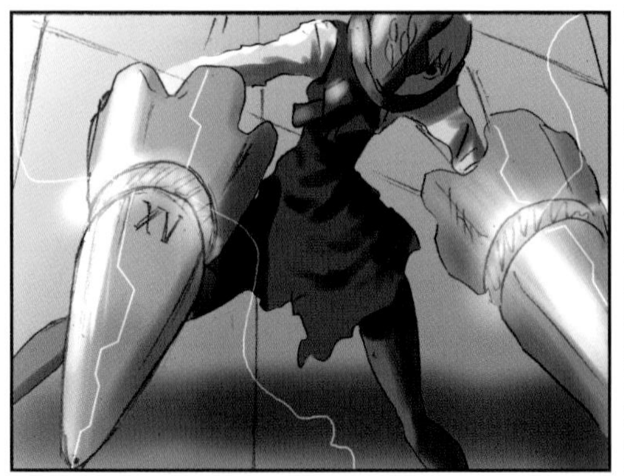

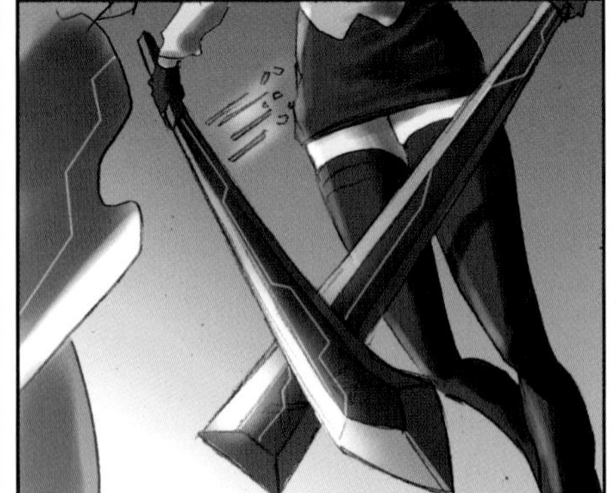

적의 연계 공격은
예전 나와 프레이의
연계와 같아.
단지 전체적으로
3프레임은
빠르다.
Yes,
master.
가
강

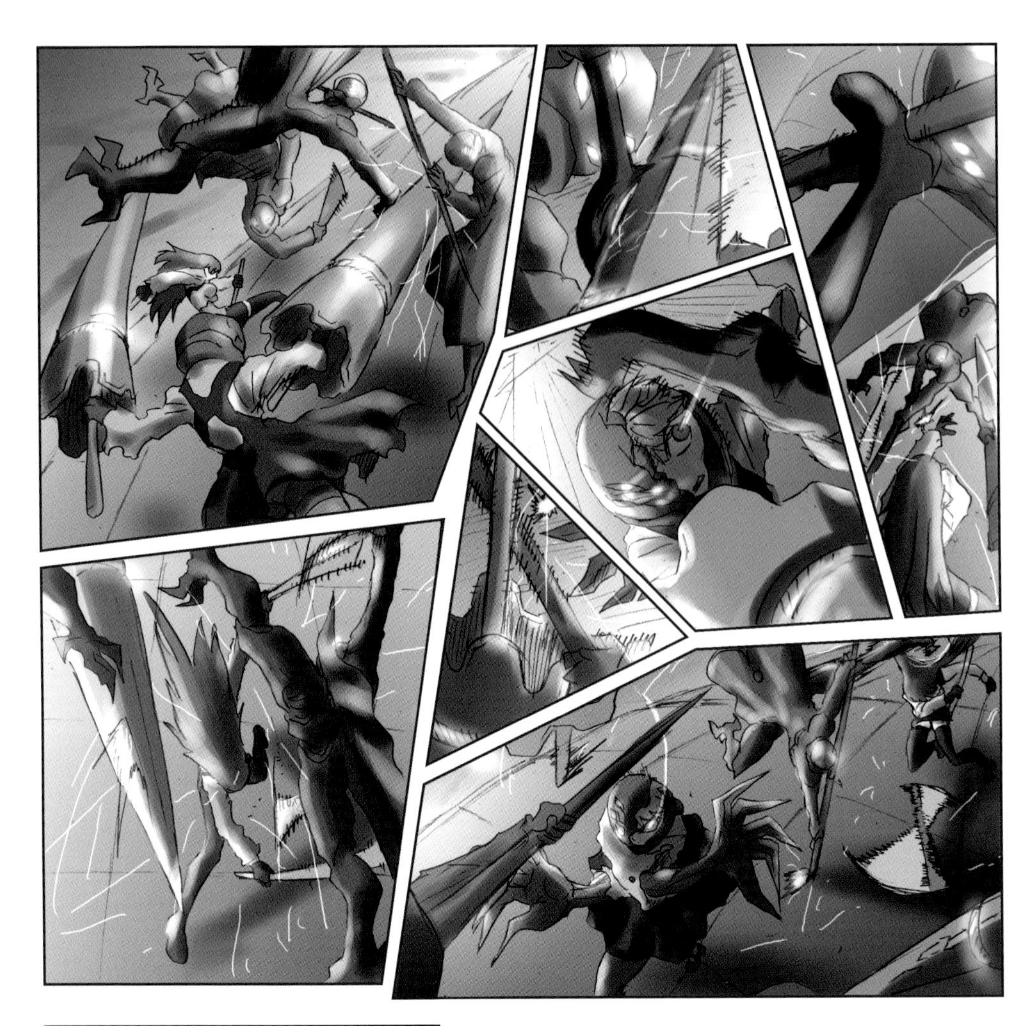

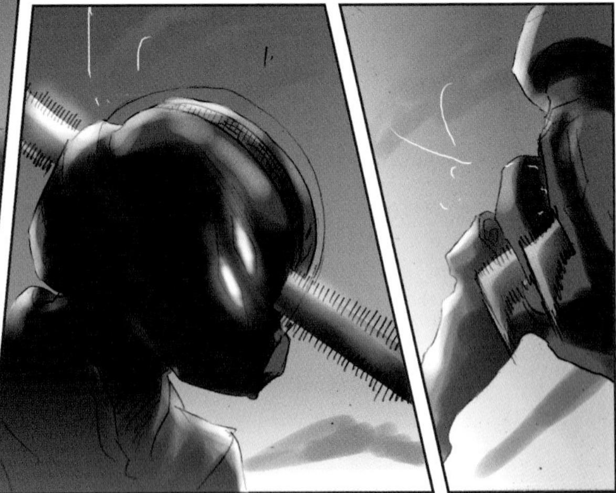

……
결국 넌

끝까지
나를…

……
프레이.

마스터.
친구가 있기에
이 행성에 오셨다고
하셨죠?

자신의
이야기에
결말을
지으셔야죠.

…

그래.

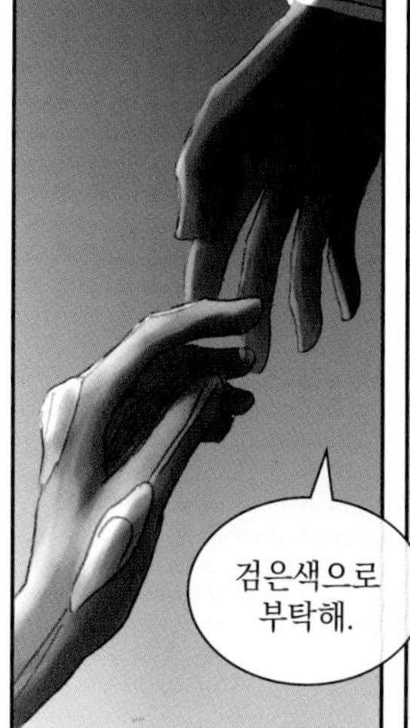
검은색으로
부탁해.

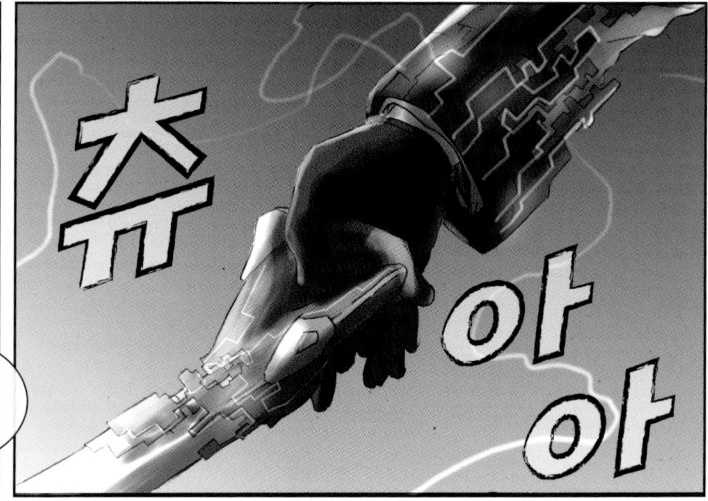
츄아아

렌즈는?
디옵터
좌 -4.75,
우 -5.25.

코어가 없어
재질 구성 시한은
500초입니다.
OK.

우리 참견쟁이들
덕분에 당분간
네가 지원을 받기는
힘들겠네.

잠시나마
우리 둘뿐이야
프레이.

…앤…

이야기에
마침표를 찍자.

1200번 검 근처의
실드가 불안정하다.
거기에 집중.
자율형 노심기는
스텔스 모드로
플랜트 게릴라 전을
펼치게 한다.
괜히 푸른꽃
상대하다 죽지 말고
그냥 통과하라.

저 자식들은
여기 왜 왔다냐?
그러게요.

당신만 잘나가는
꼴은 못 보지.

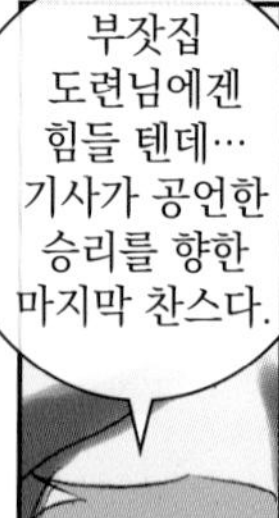
부잣집
도련님에겐
힘들 텐데…
기사가 공언한
승리를 향한
마지막 찬스다.

이 악물고
버텨라 리넬.

생존을 위한
인간과 괴수와의 싸움.

친구이자 적인 여왕괴수의 앞에 선다.

결국 기사는…

인간을 지키기 위한 존재니까.

그리고 난 인간을 죽이는 괴물.
…지독한 이야기야…
스릉

결국 너를 얻기 위해선…
네 의지도…
…네 마음마저도…

…내 손으로
부숴야 하는 거야…?

5번 검 개방.

part 72. 지독한 이야기 |끝|

part 73

Knight Run

곧
냉동수면이
시작돼.
그들의 생존은
이제 앞으로의
싸움에 달렸지.
프레이를
만나면
어떻게 할지
마음의
정리는 됐어?
아니라면
지금이라도
관두는 게 나아.
망설이면
모두의 파멸을
초래할 뿐이니까.
알고 있어요.
그래도 전…
……
다른 사람들은
네가 잘못된 선택을
하지 않을 거라고
믿지만
너와 프레이의
관계를 처음부터
봐온 난…
확신이 서지
않는군.
결말이 어떻든
모두가 휘말리게
될 거야.
그런데도
가려는 거야?
…

저벅

움찔

왜 멈추지?
검을 들 때 망설이면 죽는다고 가르쳐 준 건 너야 프레이.

…

왜?
너무 오랜만이라 사용법을 잊었나?
아니면…
그 검으론 날 죽이지 않고 멈출 자신이 없으니까?

난…

수억 명의 인간을 죽인 주제에…
뭘 망설이는 거야?!!!

넌 괴수고!!!
난 기사잖아!!!
하지만!!!

…앤…
…이잖아.

앤…
…이니까…

하지만…

그래도
가야 해요.

어떤 선택을 하든 간에…

너희는 결국 서로를 볼 수밖에 없구나.

난 널 죽이겠어.

그런가…
어째서지?
난 너 이외엔
보지 못하는데…

네 선택은
결국…
날 죽이겠다는
것뿐이네…

미안…

뭐야
그게…
어째서
사과하는 거야?

난 오직…
앤이
있어 주는
것만으로…

그때…
견딜 수
있었는데…

네가 떠나지만
않았어도 난…!!!

앤을 다시 만날 날만
기다리면서…!!!!!
길고 긴 시간을
견뎠는데!!!!

시끄러워.
그만
쫑알대고 덤벼
괴수 E-34.

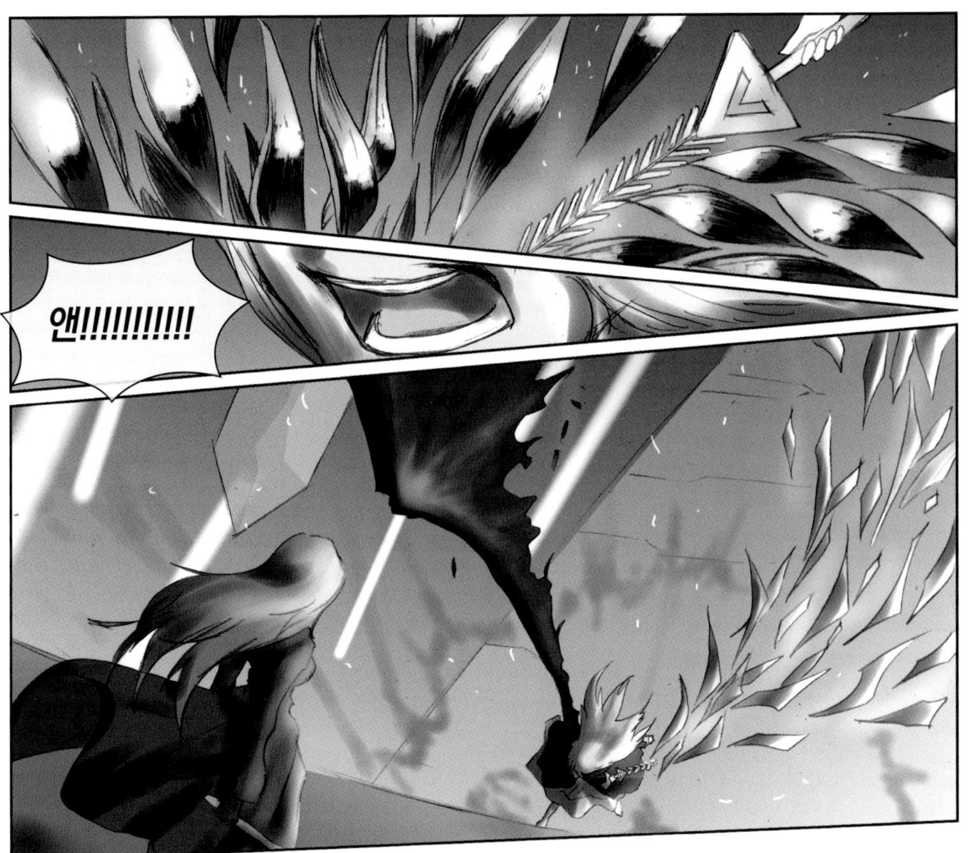
앤!!!!!!!!!!!

콰앙

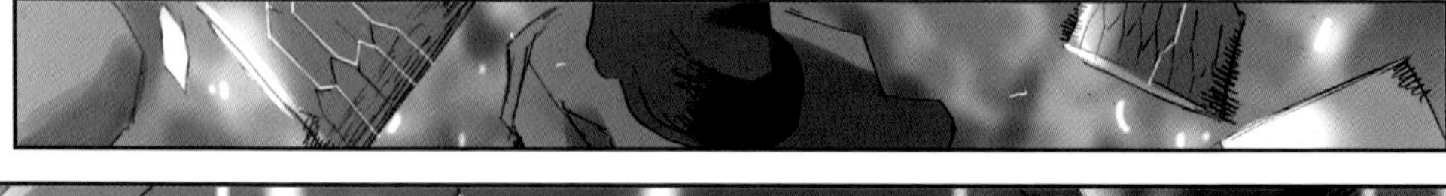

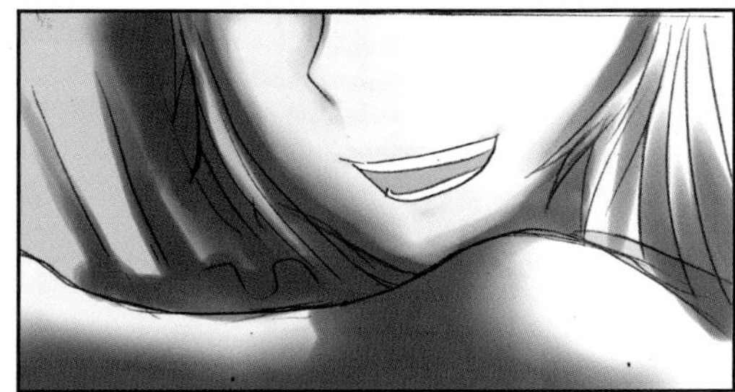

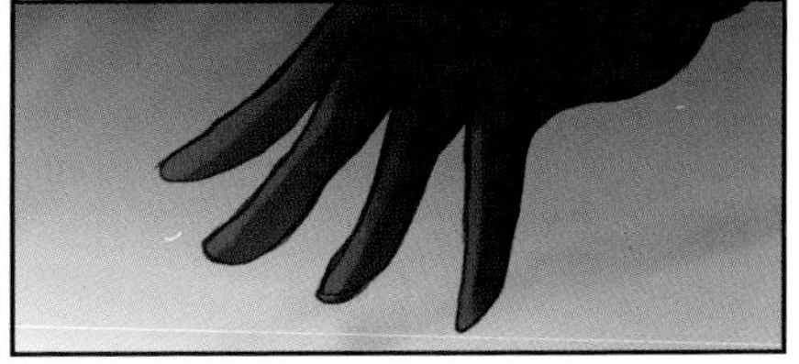

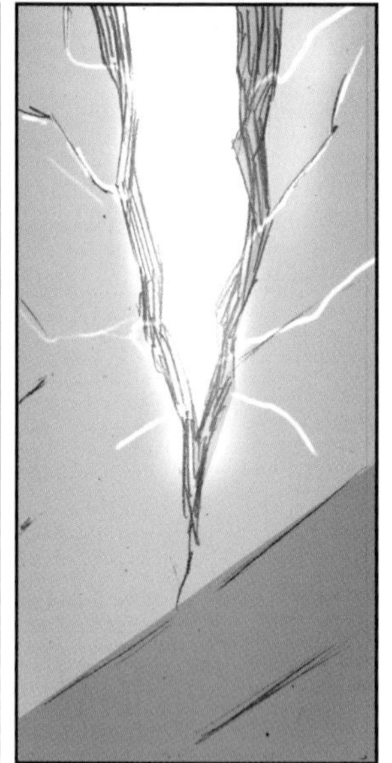

챙
강
날 죽인다고?

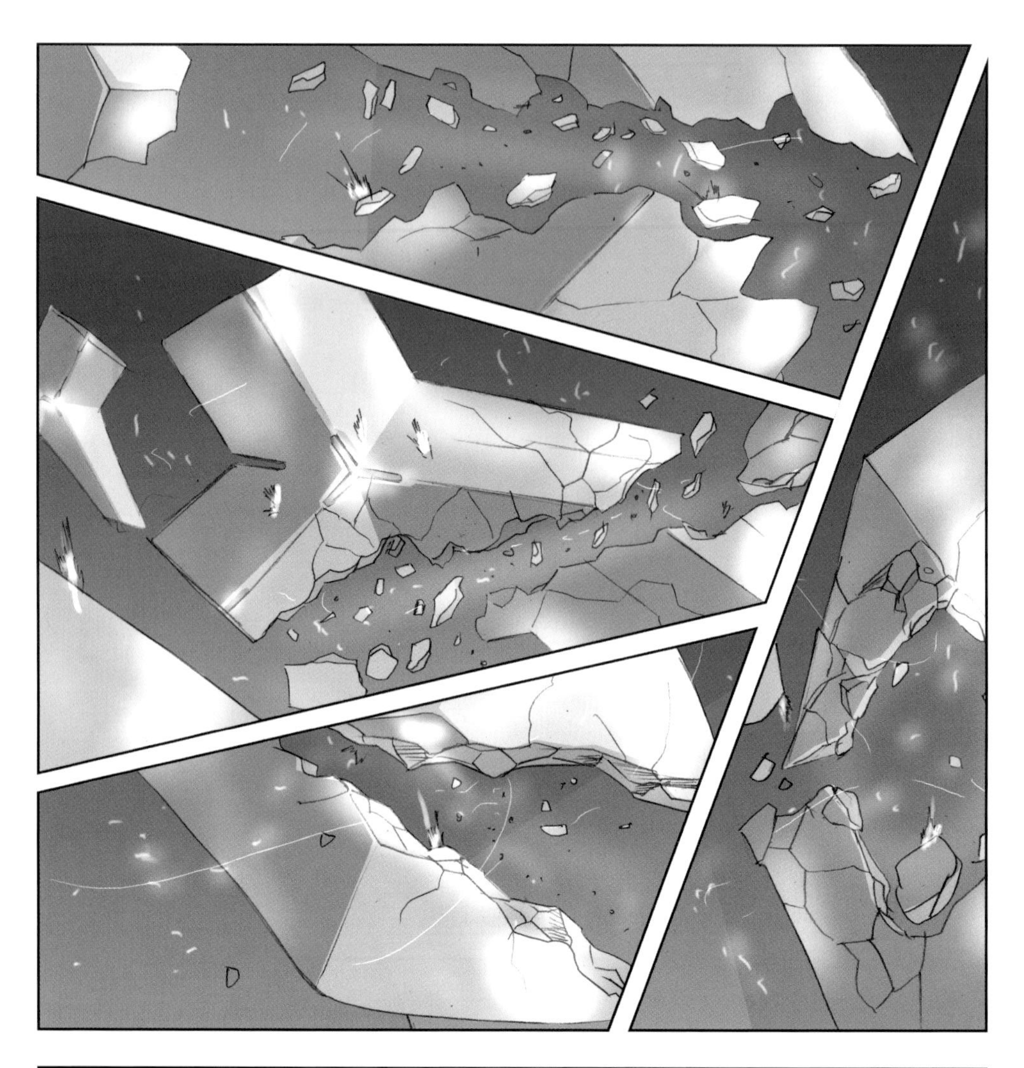

이따위 장난감으로?

5번 검 전용 파동집속기
五番 劍 專用 波動集束技

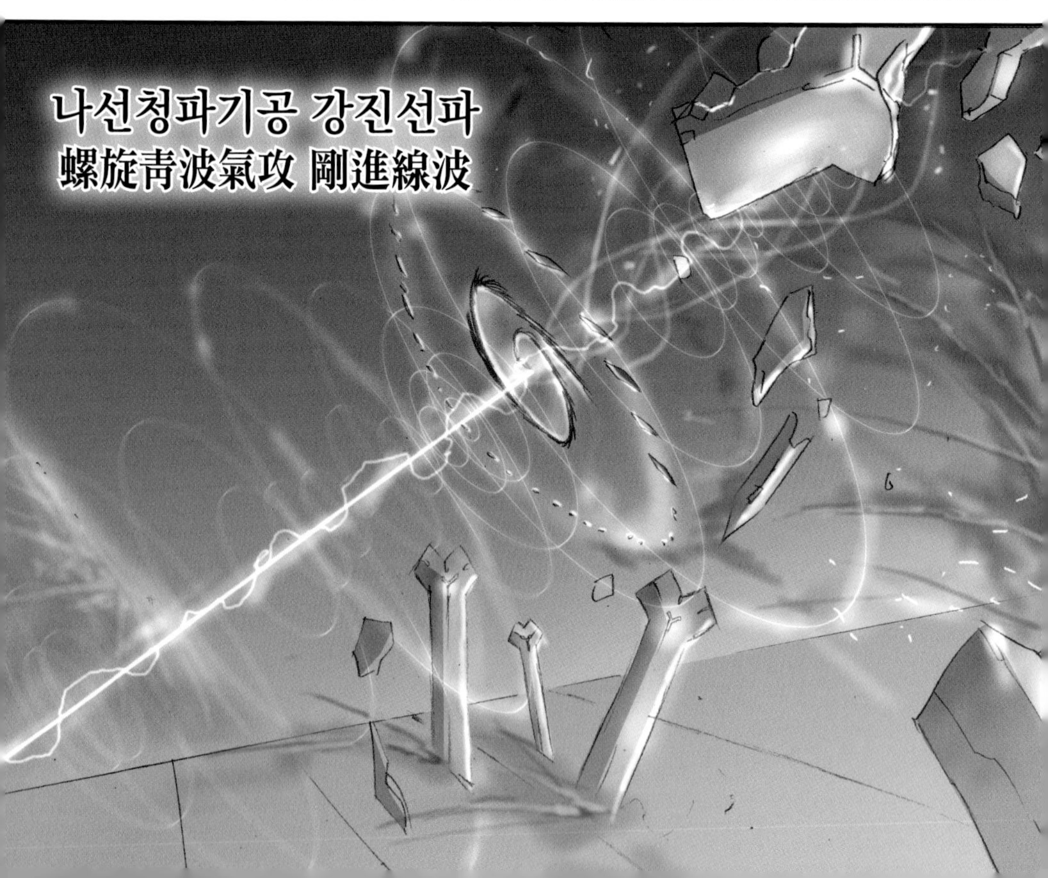
나선청파기공 강진선파
螺旋靑波氣攻 剛進線波

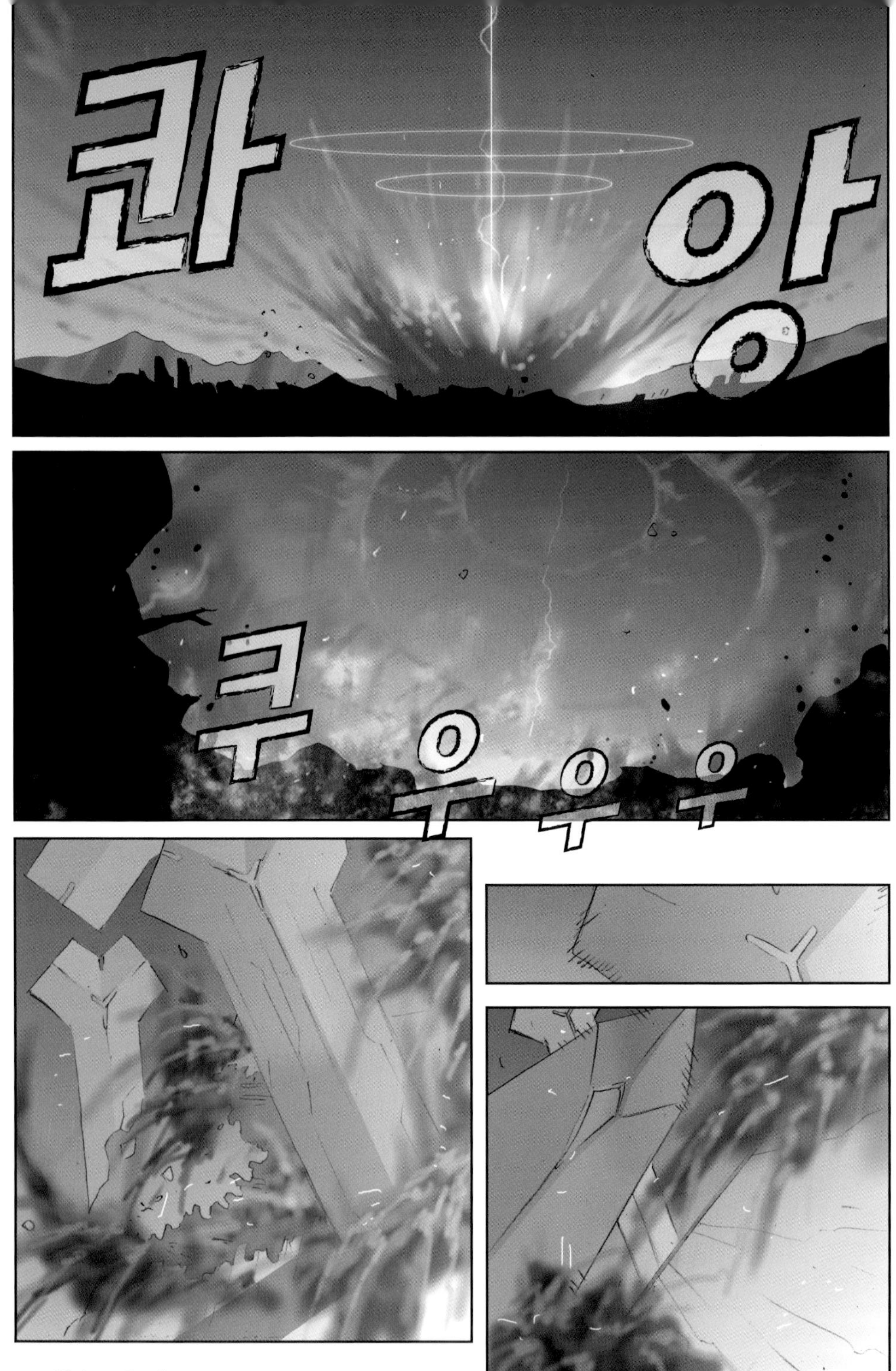

part 73. Last Battle |끝|

part 74

네가 그토록 슬퍼하다니 의외네…
슬퍼하는 거 아냐… 난 이 녀석 안 좋아했어.
그래 그렇게 말하고 싶겠지. 하지만 상실감은 숨길 수 없어 보이는군.
관계라는 건 갖가지 감정과 기억이 버무려져 서로의 마음에 자리를 잡으며 깊어져.
네가 맺은 관계는 피온 외엔 없었으니까 네 마음의 빈자리도 그만큼 크겠지.
…그런 거 원한 적 없어.
자리잡으면 뭐해?
잃으면 끝인걸.
갈래.
네가 처음부터 고장 난 존재였는지는 모르겠어.
하지만 난 이제 네가 마음을 가진 인간일 수 있다고 생각했어.
무슨 소리야?
받아.

피온이 주려던
크리스마스
자선 파티
초대 편지야.
폭격 일정 때문에
성탄절보다 앞서
하게 됐거든.
…난…
피온은
크리스마스를
처음 생긴 친구와
함께 보낼 생각에
내내 들떠 있었어.
그 녀석의 소원이
담긴 거야.

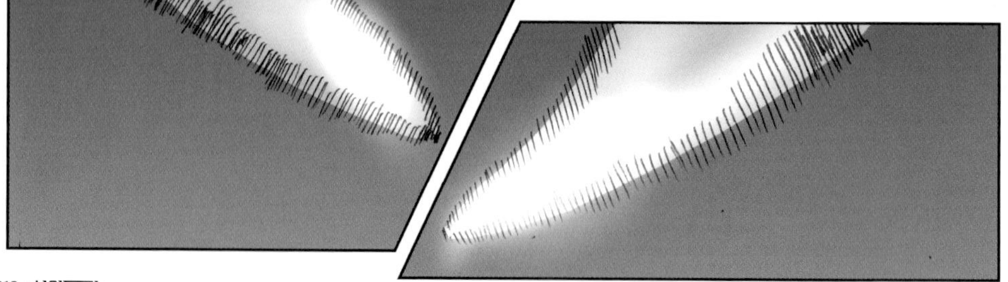

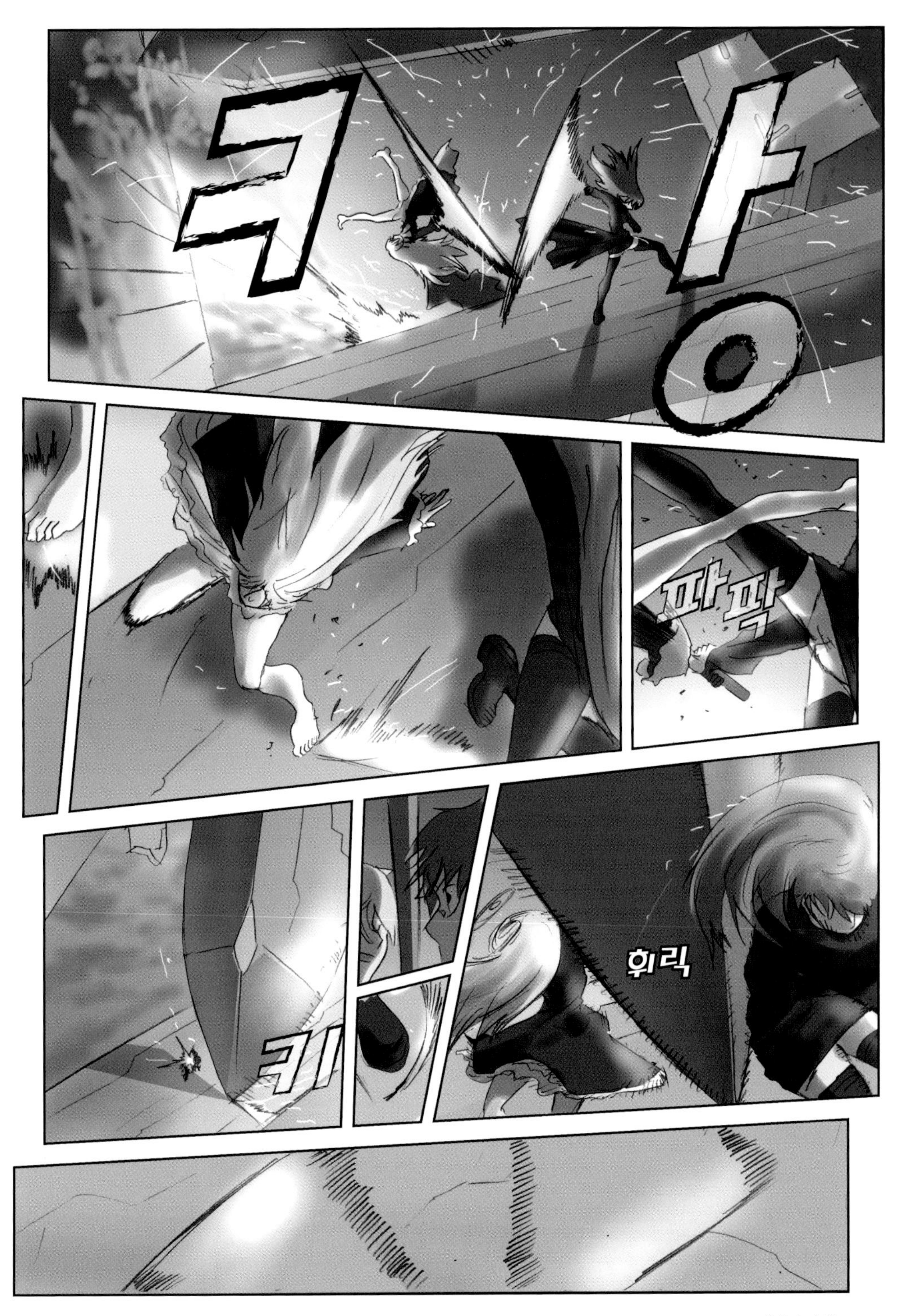
크아앙
파팍
휘릭
키이

카
가
가
가
가
콰
앙

동방박사…?
걔넨 왜 저렇게 난리야?
특별한 아이가 태어났거든.

사실 특별하지 않은 아이는 없어.
세상에 나오는 그 순간 모두 의미를 가지게 돼.

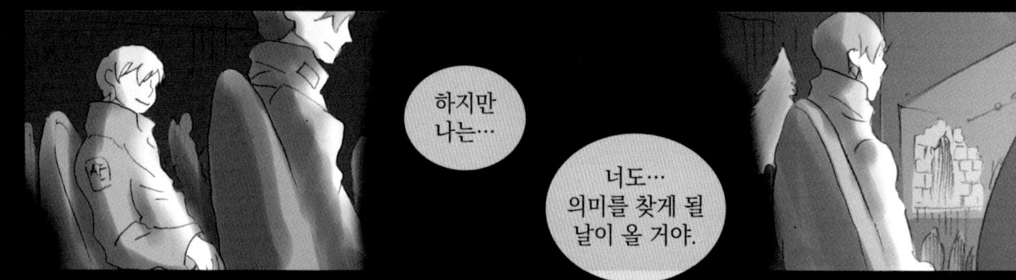
하지만 나는…
너도… 의미를 찾게 될 날이 올 거야.

적어도 피온은 그렇게 믿었어.

당신은 하늘이 준 크리스마스 선물이에요.
제 기도의 응답으로 당신이 나타났으니까.

전에 말했죠? 앤 셜리와 같은 그런 우정을 쌓았으면 한다고.

언제나 순수하게 우정을 쌓아가는 녹색 눈의 그녀를…
전 동경했거든요.
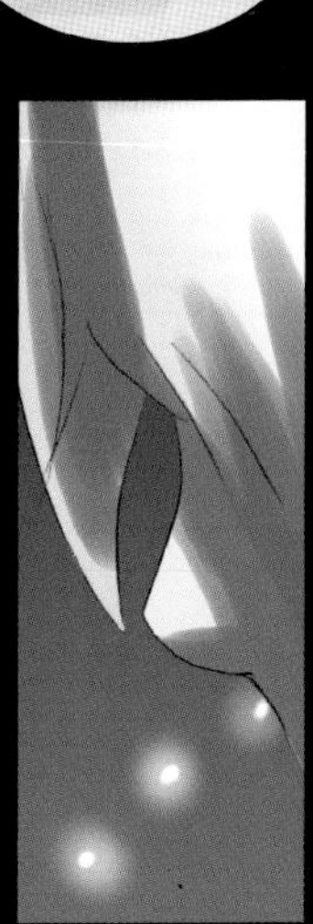

신이란 건…
기도하면 소원을 들어 주는 거야?
신이 있다고 믿기는 하고?
? 피온이 있다고 했는데?
단순하구먼… 오히려 좋아.
글쎄다… 간절하고 진실한 믿음이 있다면 들어 주시겠지.
두 손을 모으고…
기도해 봐. 크리스마스 선물이라도 달라고 말이야.

친구가…
가지고 싶어.

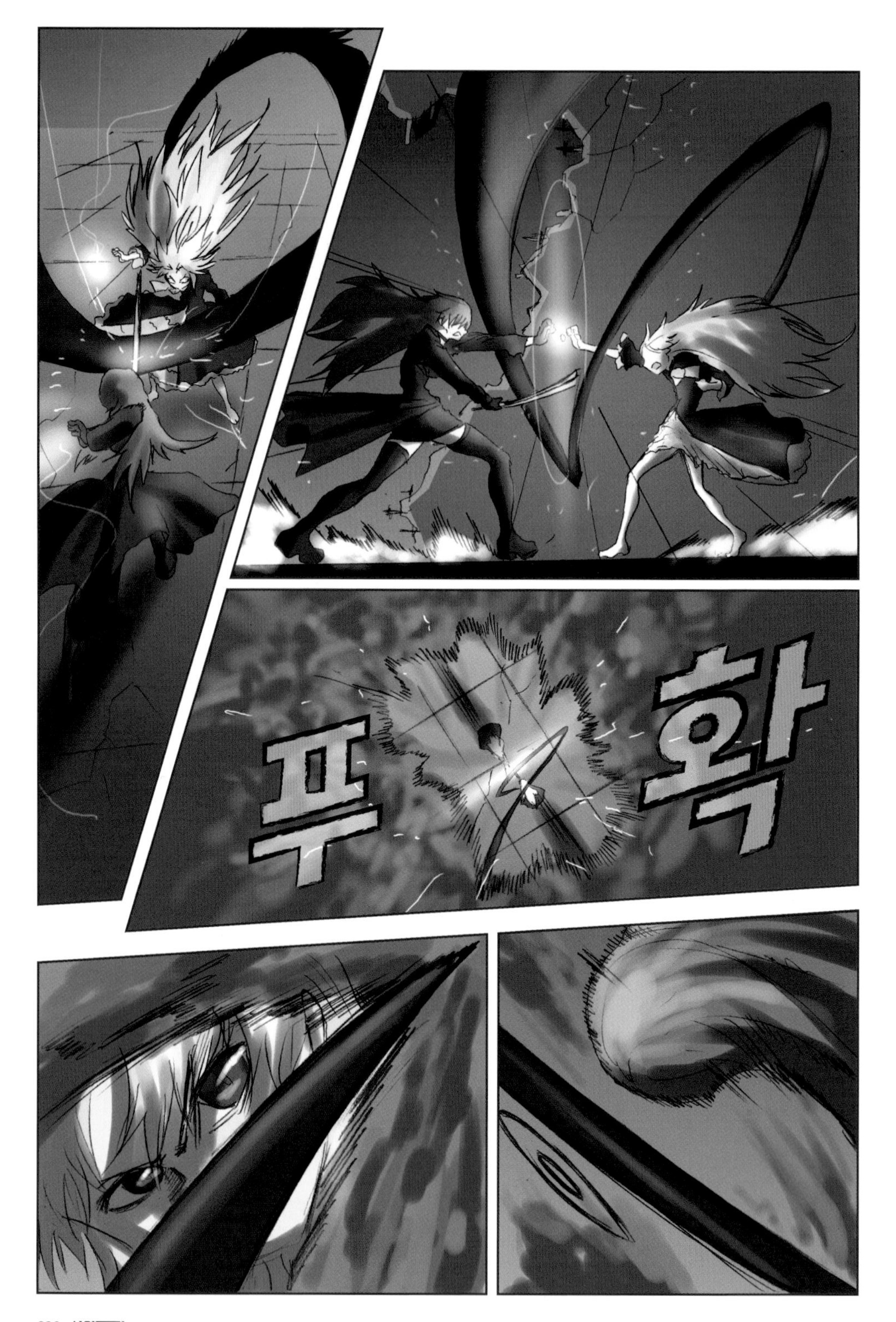
푸확

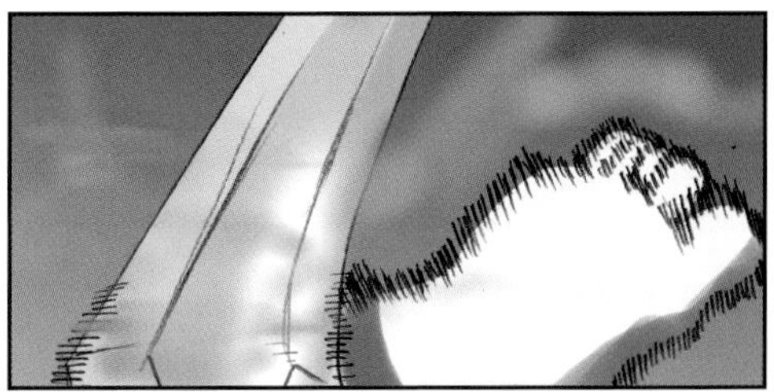

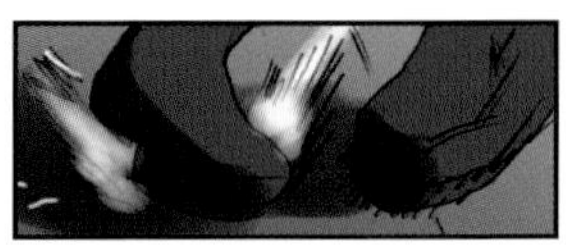

꽉

캉

콰
콱

5번 검 3기
아직도
죽이지 않고
손에 넣고
싶은 거야?
제대로
덤벼!!!

5번 검 3중 집속가속
五番劍 三重 集束加速
적색정점 태양검
赤色頂點 太陽劍
우웅
프레이!!!!!!!!
앤!!!!!!
청적합일
青赤合一

청적파공명기공 육합괴산 쌍룡상천
青赤波共鳴氣攻 六合壞山 雙龍上天

쿠아

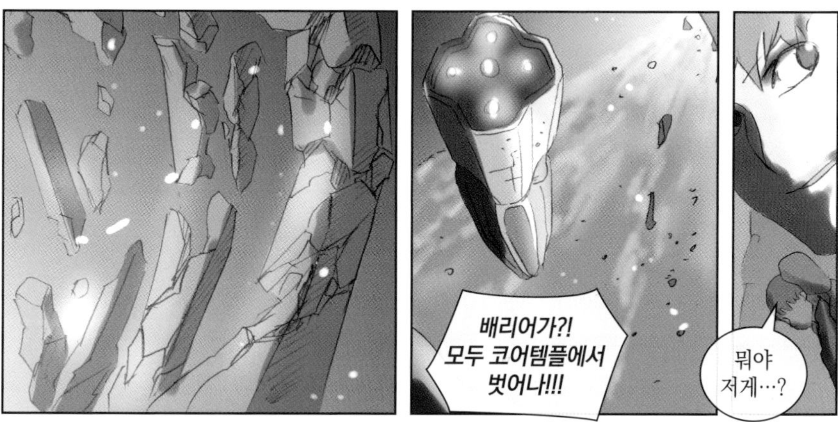
배리어가?!
모두 코어템플에서
벗어나!!!
뭐야
저게…?

우리뿐 아니라
괴수까지…
파편에
1200번 검의
사상력이 섞여서
배리어가 뚫리게
되는 건가?

말도 안 돼…

저게… 인간의
싸움이라고?

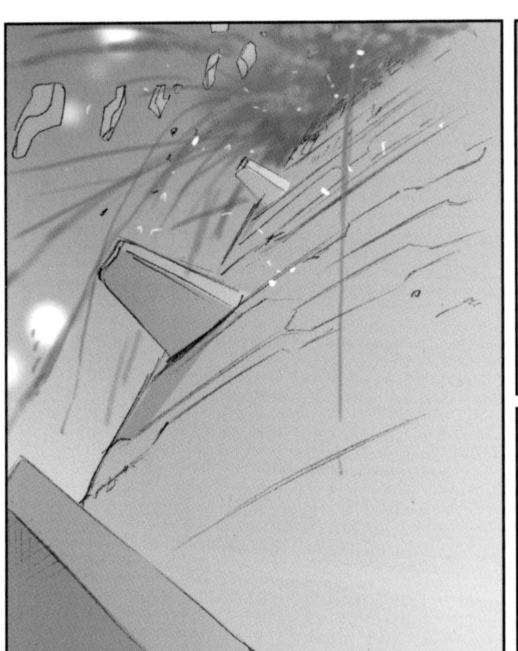

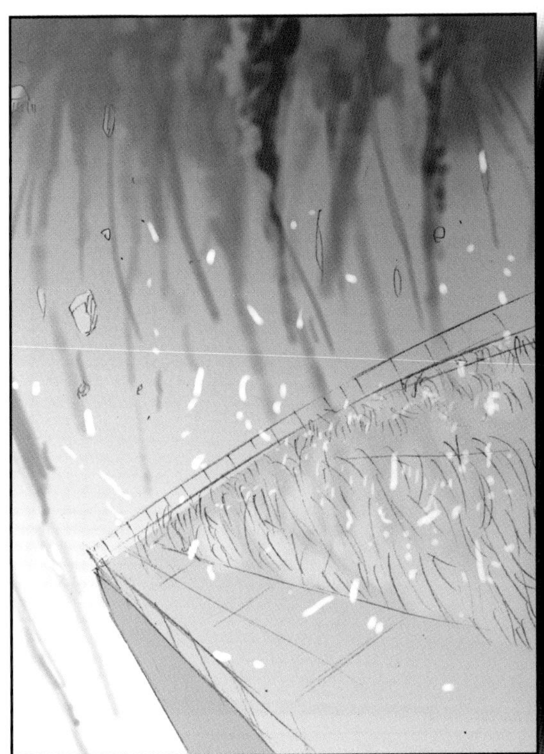

언제나…
이곳에서
기다릴게.

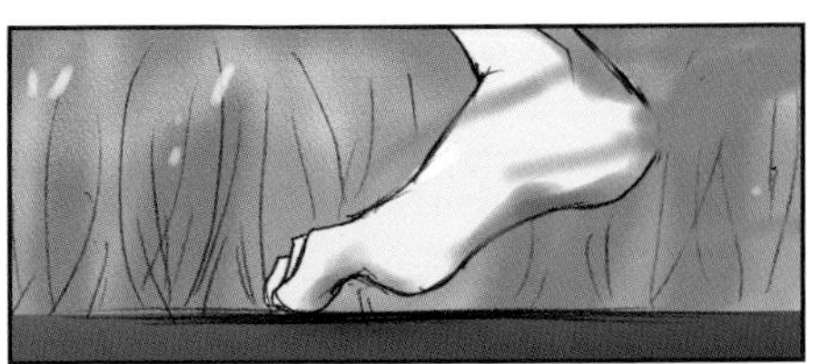

아…
앤, 팔이…

지금 남
걱정할 때냐?

난 선택했다.
프레이의 죽음을…

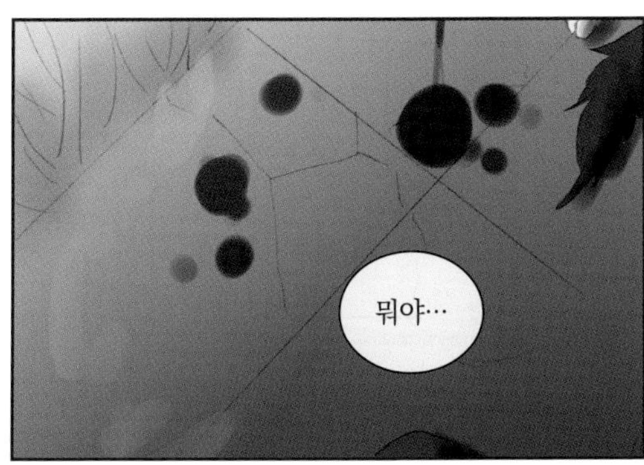

그렇게
날…
죽이고
싶어?

난 그저…
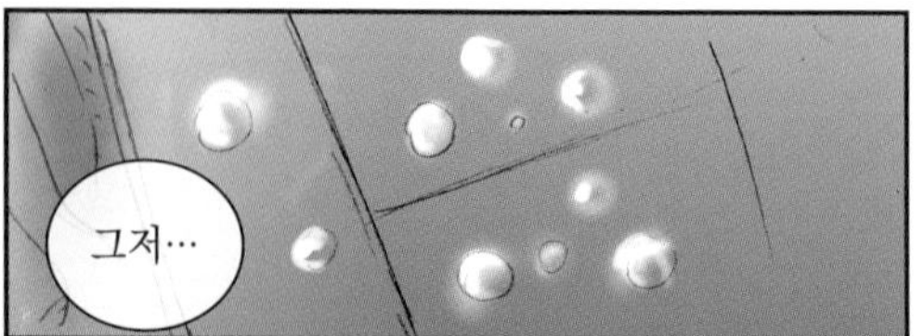
그저…

앤이 날
안아 주는
것만으로도…

그저… 곁에…
있어 주는
것만으로도…

그저… 울고 있을 뿐인
어린 시절 모습 그대로인 소녀…

그리고 뚜렷하지 않은 기억.
이 모든 일의 출발점.
누구야?
여긴 대충 만든 세트라 위험해… 교회에서 지낼 수 있게 해 줄 테니…
내 기도… 들어줬어.

그것은 처음 뻗었던 손의 기억.
아마도 가짜 신부가 말해줬던
피온이라는 소녀에서 이어진…
내 처음의 온기.

내…
친구야.

꼬옥
내가 태어난
의미가…
여기 있어.

우유는
2시간마다.
BABY
Milk

…앤…

…하…
…한 가지만…

…물어 봐도…

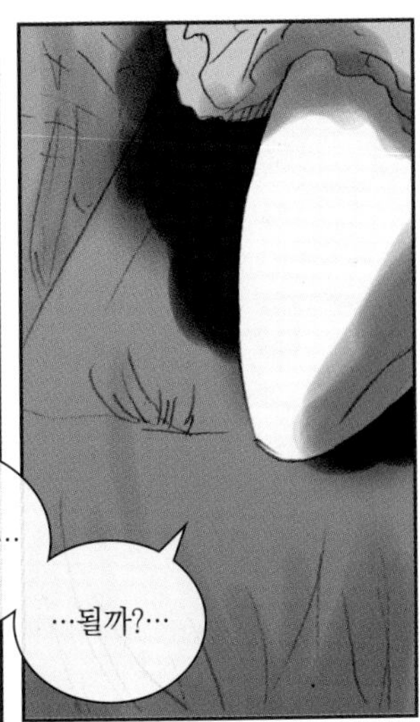
…될까?…

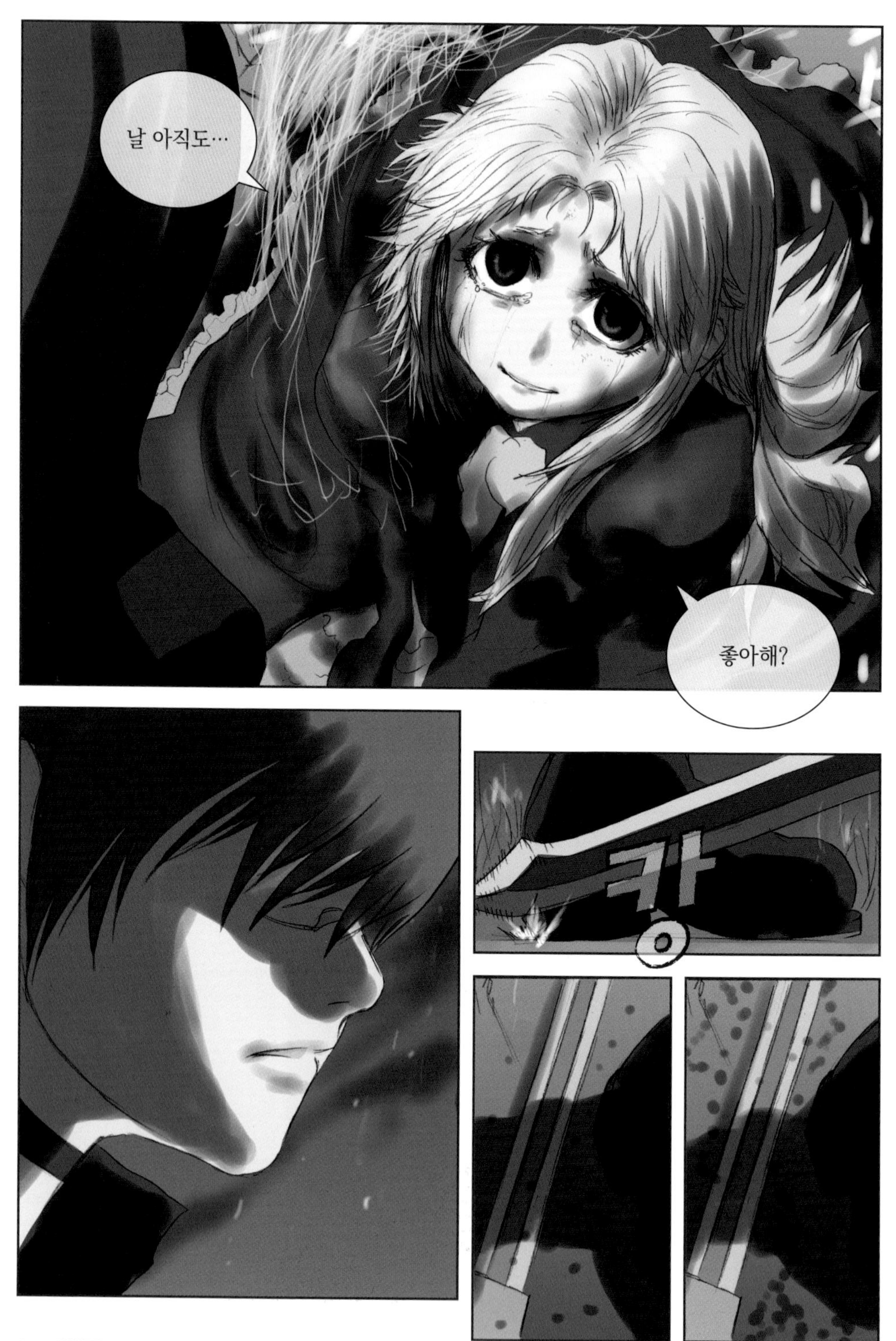
날 아직도…
좋아해?
카
앙

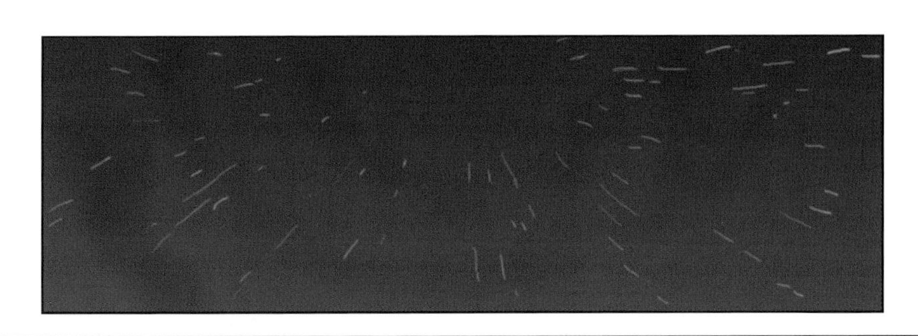

그런 거…
당연하잖아…

이 세상
그 누구보다도…

프레이를 좋아해.

다행이다.

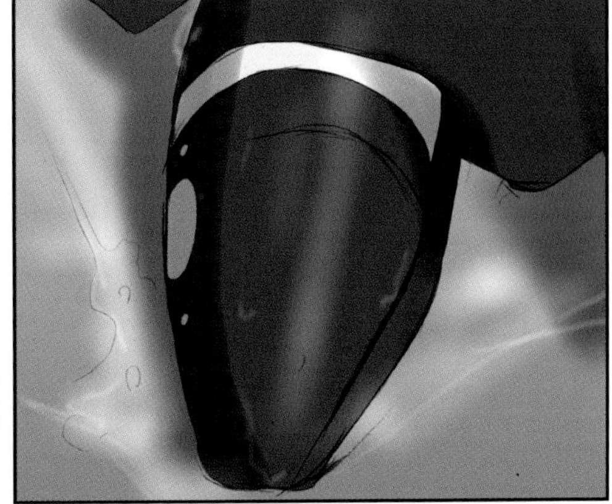

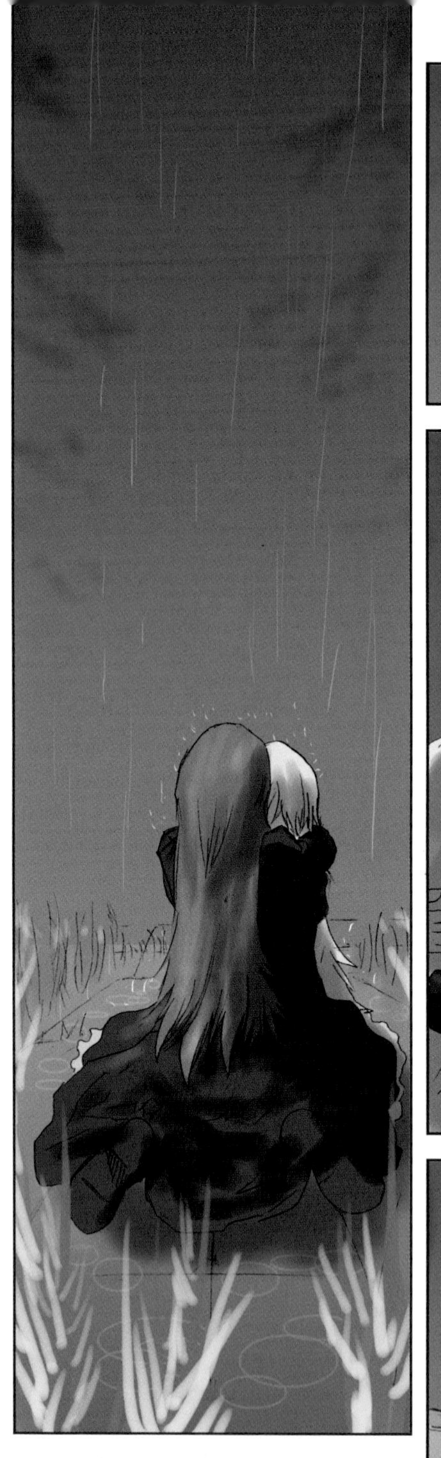

part 74. 세상에서… 이 세상에서
가장 사랑스러운 나의 앤 |끝|

part 75

리본
매 줄게.
?
뭐 그려?
숙제.
미래의 자신.
유치원 미술 시간
같은 숙제에
재료는 크레파스…
이과 필수 과목은
만점으로 수료했으면서
교양 쪽은 아직도
7세를 못 벗어나냐?
심각해
너.
흥…
내 성향이랑
안 맞아서 그래.
하지만 이 숙제는 좋아.
앤도 나오거든.
어? 나도?
어디 보여줘 봐.

짠~
기사 같은 거 관두면
나랑 앤이랑 집 짓고
함께 사는 거야!
돈도 많~이 벌어서
엄청 넓은 땅을 사서
가운데에 집을 짓고
둘이서 같이 꽃도 심고
밥도 먹고.
어렸을 적처럼
쭉~ 함께
지내는 거야.

그래, 알고 있다… 사교성이 떨어지는 이 녀석이 무리하며 기사단에 들어온 건……
뭐가 쭉~ 이냐? 나 시집은 어떻게 가라고?
에~ 그거 갈 거야?
으음… 그럼 양보해서 집 옆에 개집 지어 줄게. 우리 둘 외엔 거기 집어넣고…
인마.
흐음… 꽃이 하나밖에 없네.
그럼 그때 꽃을 더 심어 줄래?
혼자는 외롭잖아. 난 꽃이 많은 곳이 좋아.

우리도 둘이니까
꽃도 외롭지 않게…

미안해…
같이 있어 주지
못해서…

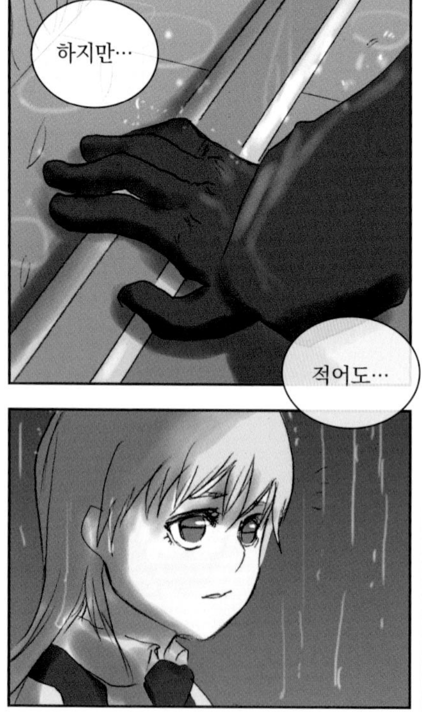
하지만…
적어도…

죽을 때
만큼은…
같이…
가 줄게…

마스…

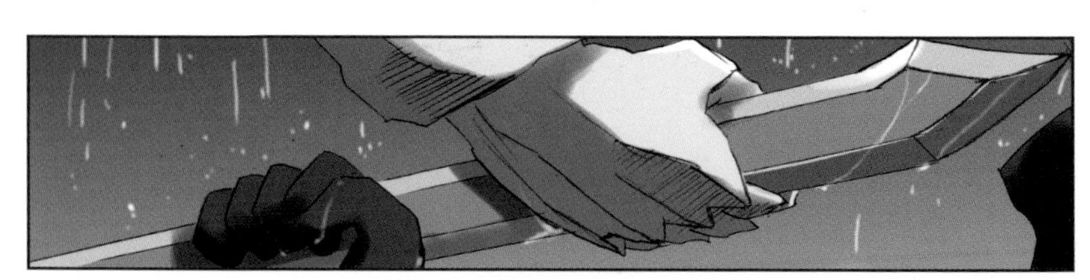

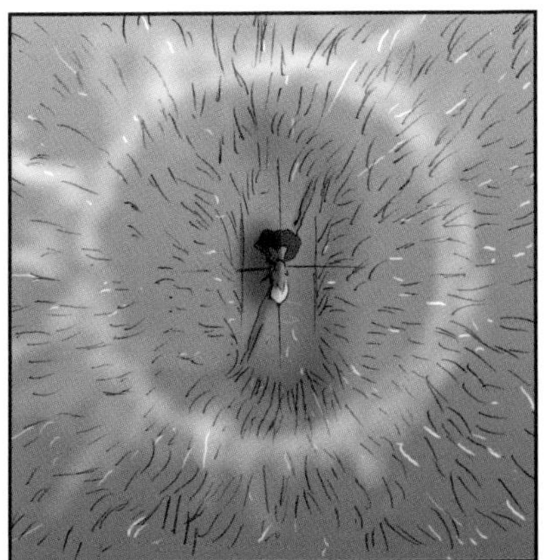

…제1영식…
…피어…

어째서…
…난…

이제…

살아라.
캉

어머니가…
당신이 죽는 걸
바라지 않으니까.

마스터!
여…영식이
말을…?!

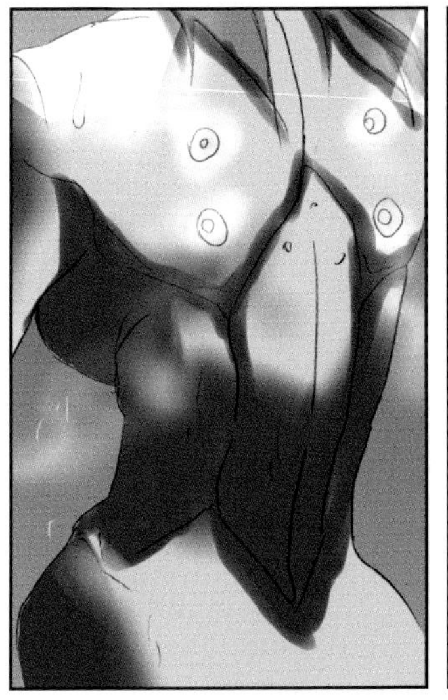

그래.

알고 있었다.

함께 죽음을 맞이하겠다는 건 그저 핑계일 뿐…

사실은 도망치고 싶었던 거다.

차라리 죽어서 편해지고 싶었던 거다.

가슴이 저며오는 아픔과 슬픔을

도저히 견딜 자신이 없어서

내게 주어진 모든 것으로부터 도망치고 싶었다.

상처를 안고 평생을 아픔 속에 살아가는 게

용서할 수 없는 내 자신에게 내리는 합당한 벌이라는 걸

알고 있었지만…

난… 비겁했다.

형…

……
무슨
시츄에이션?

나도야 브라콘. 자기 힘도 조절 못 하는 거냐?
남자 품에 안기는 취미는 없는데.

구해 줬다고 생색낼 생각은 하지 마라.
아직 적이 남았으니까 죽기 전까지는 써먹으려는 것뿐이야.

…여전히 밉상이로군.

방패론 딱 좋군.
실드에 구멍이 생긴다.
투입 준비.

오로라 시스템은 정말 대단하군. 몇십 년을 자다 깬 보람이 있어.
웅
차펠린은 이 전투로 폐기처분이겠지만…

AE는 포기했어도…
지겨운 인연이야.
그때와는 다르다… 몇 년이 걸리더라도…
끝까지 물어뜯는 거다.
우린 움직임을 멈춘 이때 한 기라도 푸른꽃을 줄인다.

사상 최악의
꽃밭 속에서
엑스트라로 전락한
영웅의 마지막 발악을
보여주지.

적 전열
붕괴 중.

길이
열렸습니다.

적의 움직임이
무질서합니다.
지휘계통에 문제가
생긴 듯합니다.

지금이라면
적 주요 생산시설에
갈 수 있습니다!

우주의
주력 괴수
함대는?

침묵하고
있습니다.
강하 시퀀스 도중
대기 모드로 전환한
상태입니다.
저게 다
내려왔다면…
우린 이미 끝났을
겁니다.

푸른꽃도
워프 모드를
중지했습니다.
실드 최대치로
유지한 채
1종 경계색
발현 중.

전력 방위
요격 모드라고
경고하는 거야.
전 출력을
방어와 요격에
집중했으니 다가오면
죽는다고 말이지.
전 사일로가
전개 상태군.
괜히 다가갔다간
뼈도 못 추릴 테니
기사들한테
맡긴다.

일반적인 괴수와 달리
철저히 중앙통제형으로
움직이는 녀석들인 게
천만다행이군.
기사님이…
해낸 거군요.

나이트가 퀸을 다운시켰다.
그 정도는 해야지.
목표는 적 주요 플랜트.
몇 달 몇 년이 걸린다 하더라도 승리를 위해 우리가 할 일을 한다.
우리도 모든 걸 걸었어.

당장이 아니어도 언젠가는 분명히 이길 수 있어…

조금만 더… 해 보자.

겨우 승기를 잡았는데 별로 기뻐 보이진 않는군요.
그럴지도…

아마 가장 중요한 녀석은 지금…
울고 있을 테니까…

뭐 외부 노심도
모두 박살 냈고
너에게 전력을 쏟은지라
당분간 위협은
못 될 거야…
하지만…
어째서 그때 끝을
내지 못한 거지?

프레이와의
싸움에 대비한
단 한 번의 엇박자
변형검으로 넌
영식의 빈틈을
잡았었어.

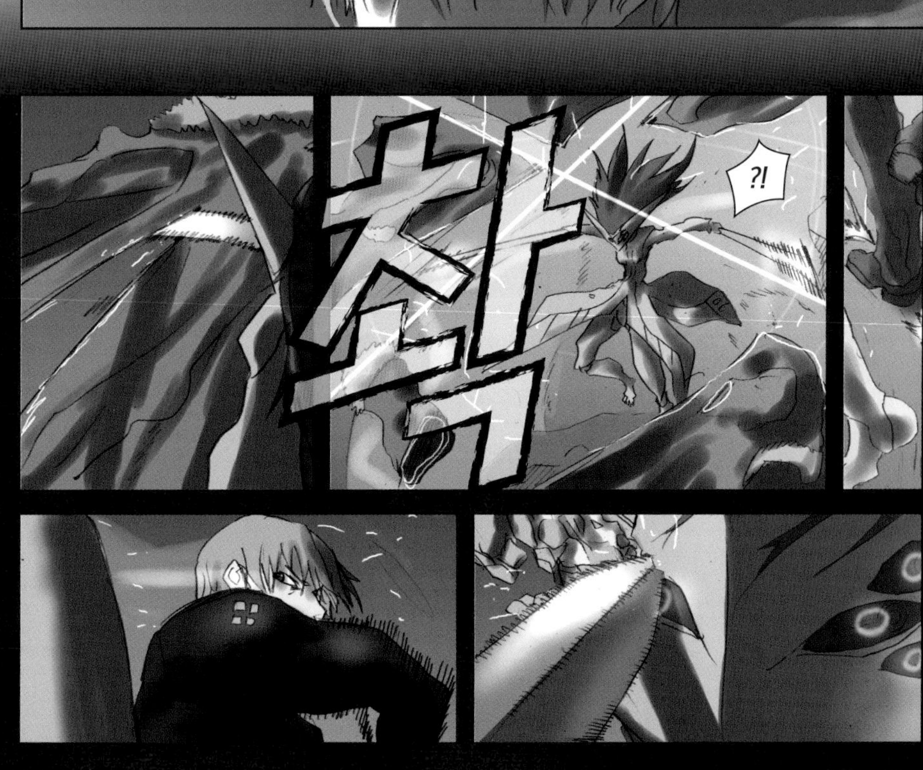
?!
착

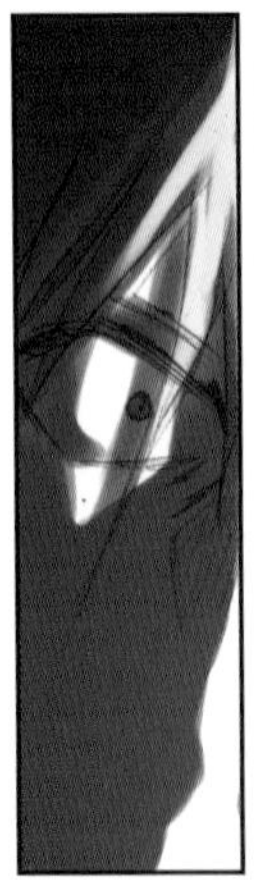

아니요.

단지…
제가 약했던 것뿐입니다.

자랑스러워 해도 돼.

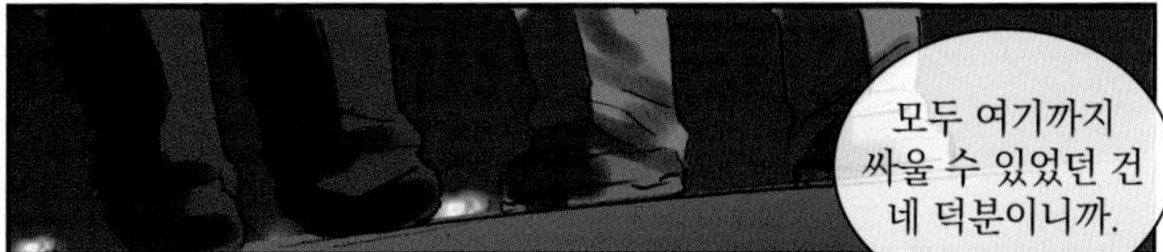
모두 여기까지 싸울 수 있었던 건 네 덕분이니까.

하지만 싸움은 이제 시작일 뿐이에요. 합류하죠.
그래. 앤도… 해낸 모양이니…

결국 프레이는…

괴수였으면 이길 수나 있었겠냐? 그녀는 인간이었기 때문에 진 거야.
앤 앞에서… 괴수였을까요?

소중함의 의미를 알게 된 괴수는 인간의 온기를 찾아 헤매는
뒤틀린 존재가 되어 버린 거다.
인간은 절망하다가도
절망 속에서 희망을 찾으려 하고
온기를 채우고 싶어 한다.

자기 이름을 언제나 e가 들어가는 앤이라고 강조하는 다니는 웃기는 소녀가 초록 지붕 집에서 친구와 가족을 얻는 이야기야.
인간이기에 온기를 원한다.
너도 여기서 좋은 친구가 생길 거야. 앤 셜리처럼.
뭐 친구는 모르겠지만… 가족이 돼 줄 수는 있는데…
너… 내 딸 할래?
그리고 그 온기를 전하고 싶어한다.
인간은 그렇게 서로의 소중함을 깨닫는다.
봐. 어제 기도한 거 이루어졌지?

저…
히…힘낼게요!!!
딸 되는 거!
아니
힘은 안 내도
되니까…

384 - 401
FIONA
뭐…
다음엔 친구를
만드는 거야.

됐으니까 날 두고 가. 이대론 둘 다 못 버텨.
그런 말 하면 멋진 줄 아는 모양인데 그냥 닥치고 있어. 로즈웰 부대는 아직 남아 있을지도 몰라.

아.

연합의
우주군이다…

꼴도
보기 싫은
살인공장…

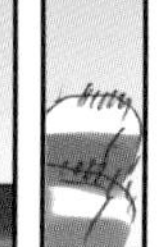

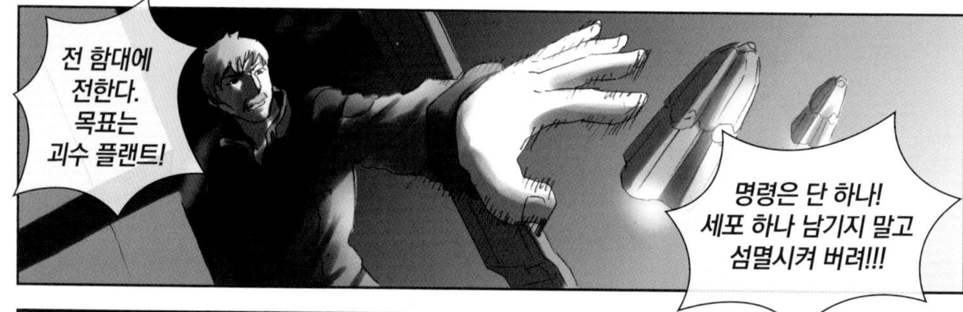
전 함대에
전한다.
목표는
괴수 플랜트!
명령은 단 하나!
세포 하나 남기지 말고
섬멸시켜 버려!!!

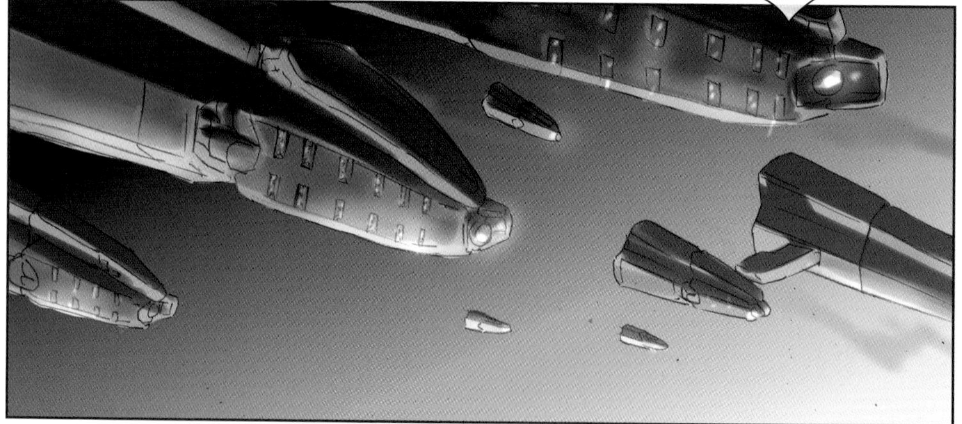

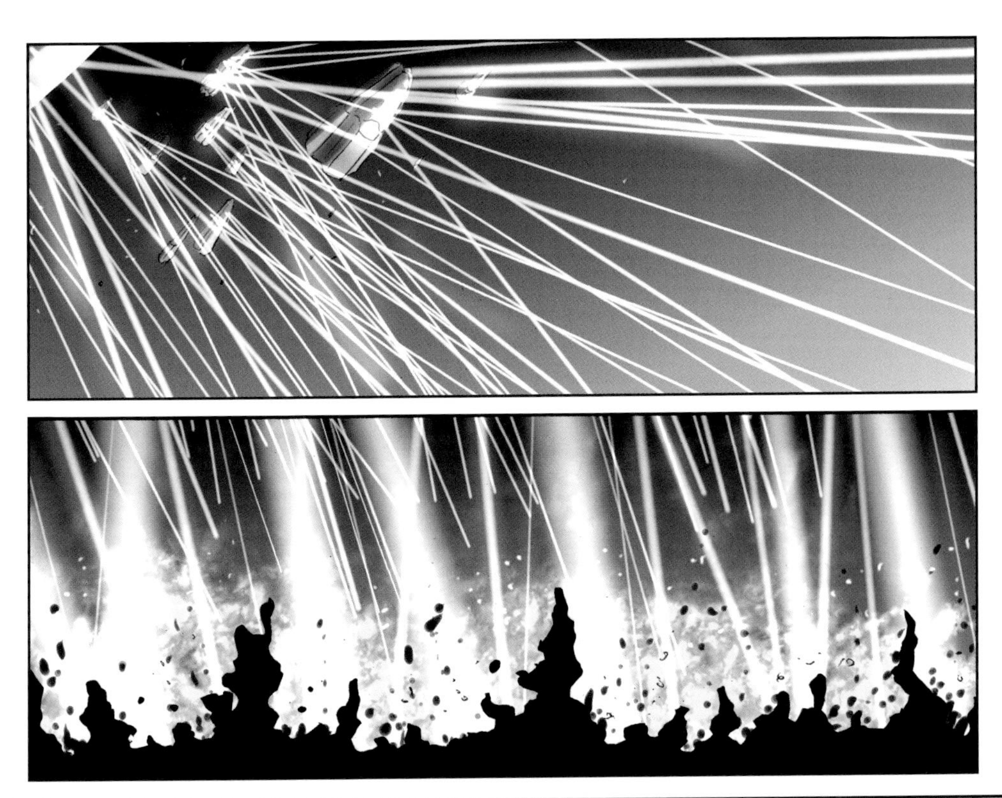

5지구 플랜트가
불타고 있어…

함대가
진입하다니…
기사님이
해낸 거야…
뭐야?
이제 집에 갈 수
있는 거야?
야
나와 봐!

결국 언젠가
이 전쟁은 이길 거야…

모두…

많은 사람이 죽었다.

나의 소중한 사람에 의해
너무나 많은 누군가의 소중한 사람들이 목숨을 잃었다.

그리고 나 역시
둘도 없이 소중한 그 사람을 잃었다.

…아니 수많은 이들을 위해 내 손으로 그 존재를 지웠다.

후회할 줄 알면서도 해야만 했던 일…

영원한 후회의 고통을 안고 살리라.
그것만이 지금 내가 할 수 있는 유일한 속죄의 길일 테니까.

너무나…
소중한 사람…

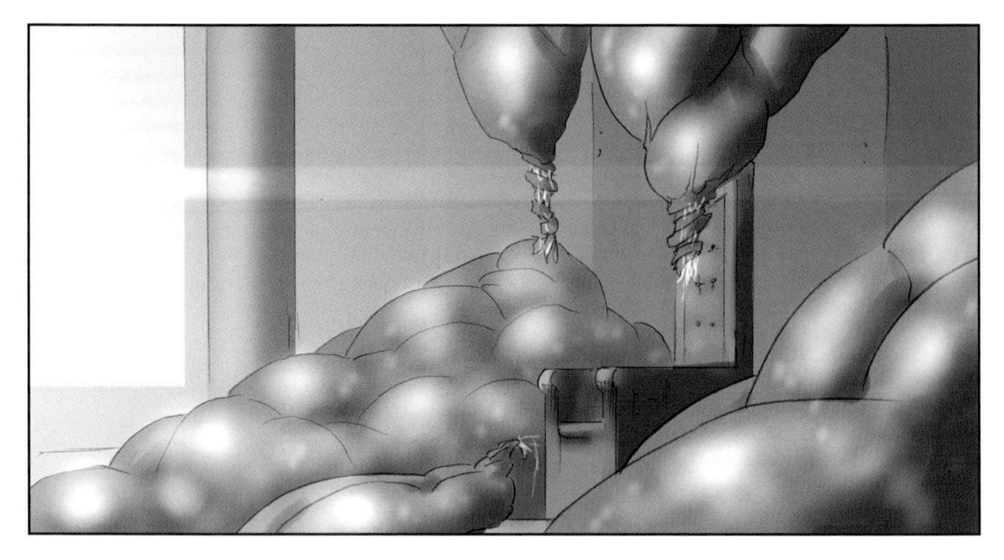

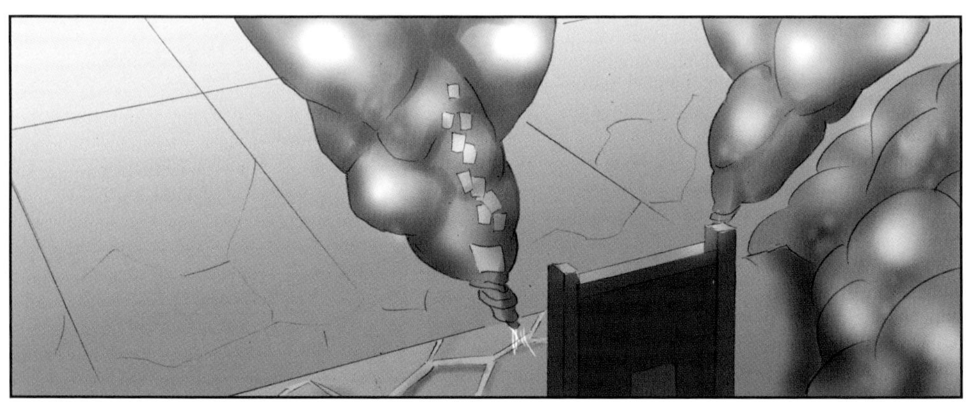

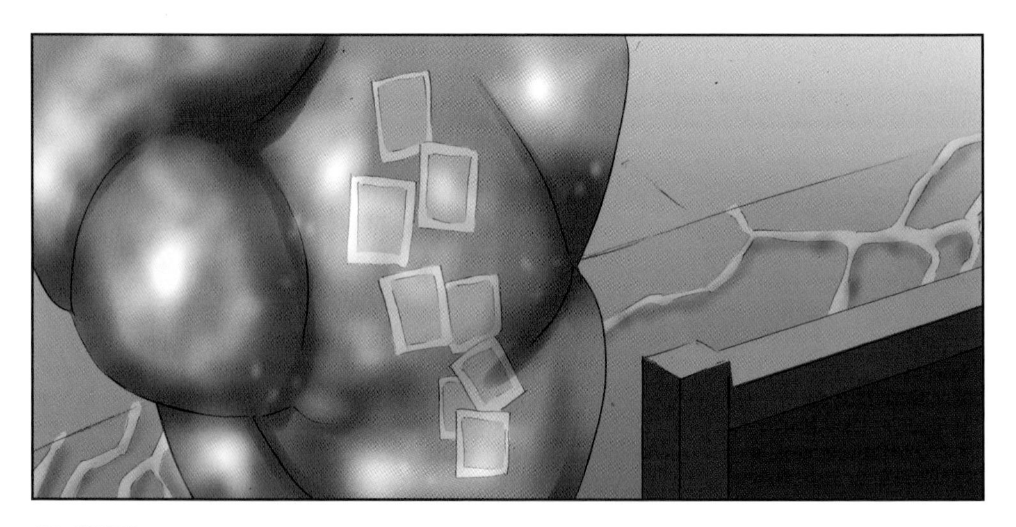

P R A Y
O R I G I N
프레이 오리진

END

384 - 401
FIONA
오랜만이네. 그래도 여기 와 주는 사람은 너밖에 없다.
그냥 지나가던 길이야.
네가 놓은 거잖아.
저 닮지도 않은 종이컵 인형.
똑같은데…
어디가…
닮은 건…
네가 데리고 있는 그 녀석과 피온이지.
쪼다병이 옮아. 떨어져 있자.

그 온기는 계속 이어졌다.

다시
태어나면…
가끔
회색빛처럼 보이는
녹색 눈동자를
가지고 싶어요.
앤 셜리처럼…

그리고 그 온기는 돌고 돌아
다시 내게로 왔다.

그 아이…
이름은
지어 줬냐?

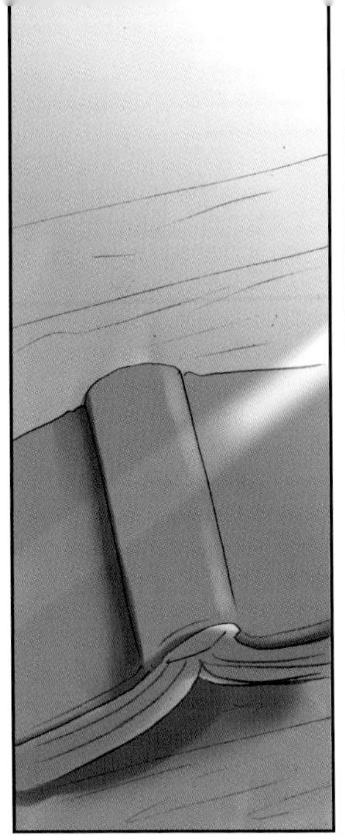

Anne.
뒤에 e가 들어가는 앤이야.

과연… 그런데…
…너도 앤이 불러줄 이름 정도는 있어야 하지 않겠어?

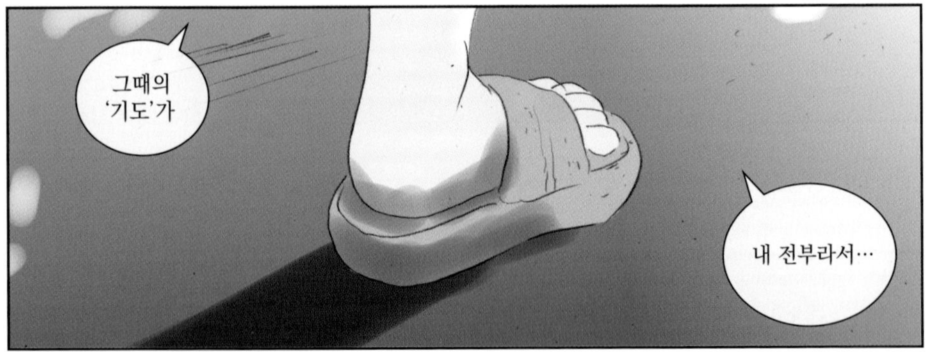
그때의 '기도'가
내 전부라서…

'프레이'로
정했어.
'PRAY'

part 75. 프레이 |끝|

프레이 오리진을 사랑해 주셔서
대단히 감사합니다.

'기도'

Epilogue

결국
이런 결말인가…
서둘러 왔는데도
너무 늦어버렸군.
금단의
과실을 먹고
감정을 얻은
괴물이라니…
어쨌든
이기긴
하겠네.

엘리스의
두 번째 자식도
인간의 편을 들어
최초의 배신자가
되었지만
이 녀석은
더 복잡해.

인간을 죽이는
역할에는 너무나
충실했건만…
결국 최대의
불확정 요소는
이런 식의 결말을
맞이하게
된 건가…

그렇게
어슬렁거리다
AE 눈에 띌라.
임무에
충실해
지오.

아직 실드가 있어서 밖에서 안으로 들어오는 건 무리야 녀석들의 힘으로는.
이미 댄이 갔으니 너무 딱딱하게 굴지 마.

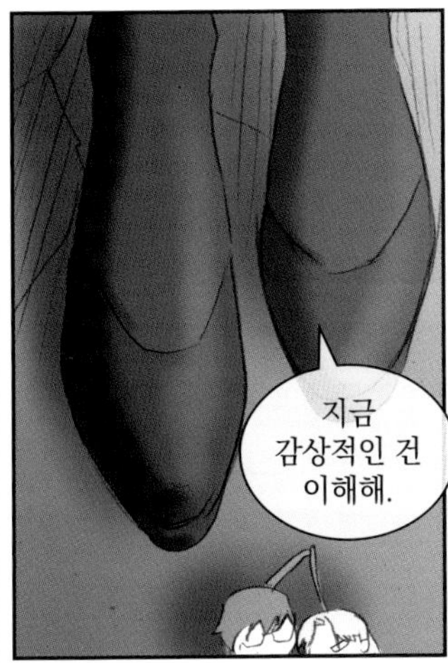
지금 감상적인 건 이해해.

오 듀란은 나와 같은 의견인 듯한데.
글쎄 그럴까?

인간도 괴수도 적으로 삼고 오직 한 사람만을 생각한다.
뭔가 가슴에 와닿는 게 있지 않아?

…난 마음에 들어 이런 거.
그건 차별적 발언이야 파이브. 마음에 안 들어.
흥, 이래서 여자는…
댄 발견했어?
일단은.

출산 후
대리 자궁에 옮겨진
모양이지만…

늦었어.
이미 흰 녀석이
회수해 간
모양이다.
두 번째
불확정 요소는
이미 자취를
감춰서…
그것이
어떤 성질을
가지고 있는지조차
알 수 없어.

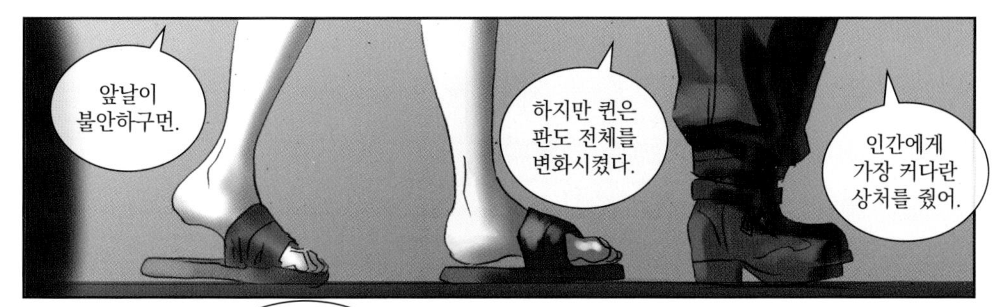
앞날이 불안하구먼.
하지만 퀸은 판도 전체를 변화시켰다.
인간에게 가장 커다란 상처를 줬어.

엘리스의 변덕이 낳은 공주님이 인간의 강점을 얻게된 뒤
인간의 구원자가 그녀의 아이란 것은 아이러니지만.
이 정도까지 일을 벌일 줄은 누구도 예상하지 못했을 거야.
드디어 관찰자의 임무에서 벗어나는 건가…
난 이 상태가 딱 좋았는데…

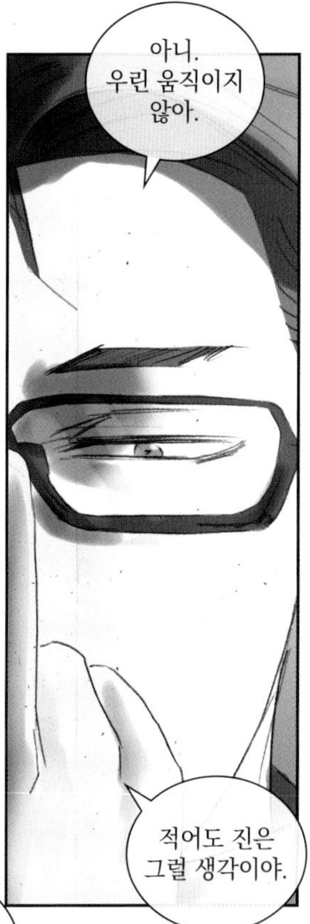
아니. 우린 움직이지 않아.
적어도 진은 그럴 생각이야.

파이브는 마음에 안 들어 하겠지만.
…

움직이는 건
그들이다.
배우들은
갇혀졌어.
이제
새로운 시대가
올 거야.

모여.
큐브를 쓴다.
발티아의
제7게이트가
우리를 위해
작동하는 건
단 5분.
시시하군.
모두
박살 내 버리면
될 텐데.
앞으론 시간을
지켜 주면 좋겠군.
다들 들떠서는…
이런 한정된
로스트 테크놀러지까지
부여했다는 건 진이
이번 엘리스를 꽤나
눈여겨 본다는
뜻이겠지…
판단은
'진'이 한다.
웅
우리가
아니라.
이쪽은 그저
신파극으로
치부하고 싶은데
말이야.
마킹 완료.
극소단위
'워프'를
시작한다.

시대가
바뀐다.
이제
관찰자로서의 역할은
끝났어.

모두 귀환 완료.
성공입니다.
큐브는 두 번 모두
정상 작동했습니다.
그래.
군사용 게이트의
사용 권한을 얻느라
출혈도 컸는데
성공해야지.

이제
시대가 변하기
시작할 거야.

당장은 아니지만
곧 모든 게 바뀐다.

회장님.
제4플랜트의
향후 스케쥴은
어떻게 할까요?
더 늦장 부리면
눈치채겠지.
회사의
신뢰도 있고
투자를 받았으면
해 줘야지.

처음에는
동생에게 전권을
맡기겠다 했지만
지금의 그는
그럴 생각이 없어
보이는군.
어떤 사사로운
감정 때문에 이 상황을
끝까지 책임지고
싶어진 거겠지.
신인류혁신동맹의
잔존 키메라.
이런 수단이
그의 취향은 아닐 텐데…
어지간히 힘이 급한
모양이야.

아무튼 재미있군.
한때는 비인도적이라고
걸고넘어지던 기사단이
이제는 오코넬리 때 회수한
우리 연구 데이터를
이토록 원하다니.
…하지만
왜 굳이 이 프로젝트를…
마더나이트가 행방불명인 이상
지금의 그가 가진 기사단 내의
영향력은 이미 아무도…
그게 아니야.

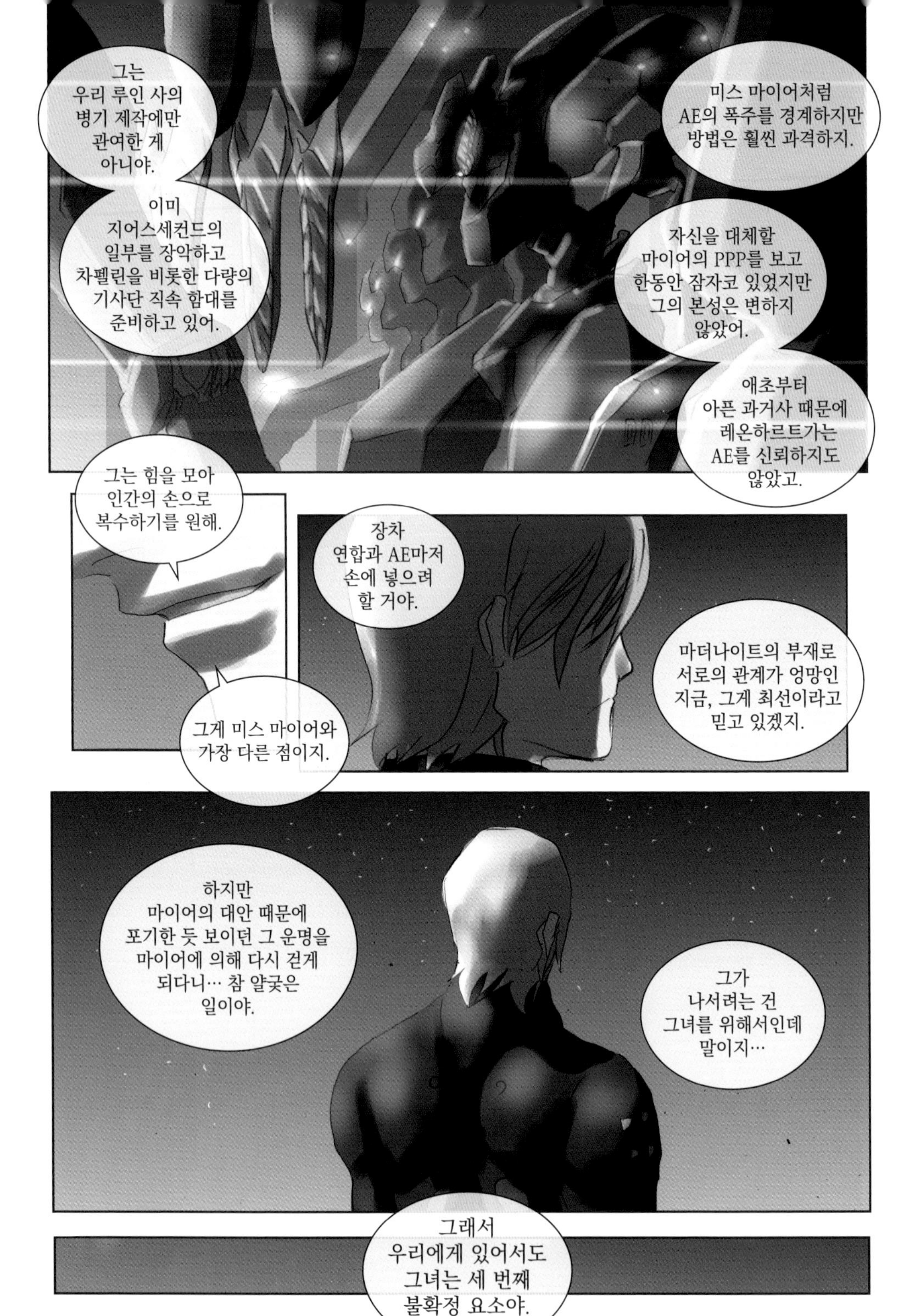
그는
우리 루인 사의
병기 제작에만
관여한 게
아니야.
이미
지어스세컨드의
일부를 장악하고
차펠린을 비롯한 다량의
기사단 직속 함대를
준비하고 있어.
미스 마이어처럼
AE의 폭주를 경계하지만
방법은 훨씬 과격하지.
자신을 대체할
마이어의 PPP를 보고
한동안 잠자코 있었지만
그의 본성은 변하지
않았어.
애초부터
아픈 과거사 때문에
레온하르트가는
AE를 신뢰하지도
않았고.
그는 힘을 모아
인간의 손으로
복수하기를 원해.
장차
연합과 AE마저
손에 넣으려
할 거야.
마더나이트의 부재로
서로의 관계가 엉망인
지금, 그게 최선이라고
믿고 있겠지.
그게 미스 마이어와
가장 다른 점이지.
하지만
마이어의 대안 때문에
포기한 듯 보이던 그 운명을
마이어에 의해 다시 걷게
되다니… 참 얄궂은
일이야.
그가
나서려는 건
그녀를 위해서인데
말이지…
그래서
우리에게 있어서도
그녀는 세 번째
불확정 요소야.

웅
자율형도 아니라더니 벌써 몇 기째 워프야?
잔여 푸른꽃 8기 워프 페이즈 이행 중.
…이상합니다. 워프 중력 필드에 휘말려 자기 호위 함대가 입는 피해도 감수하고 워프를 우선하고 있습니다.
요격 행위조차 없습니다.
주 방위 행성은?
모두 무사합니다.
전술 컴퓨터는 푸른꽃의 움직임을 함대나 행성에 대한 적대 행위로 보지 않습니다.
전 우주의 워프 마커 특이점 정보 공유로 목적을 알아내!!!
일단 AI에 의한 추정 결과가 나왔습니다.
90% 확률로 은하 외곽의 괴수 묘지로 이동 중입니다.
최후 관측 결과도 기능 정지 상태임을 보여 줍니다.
…… 용도 폐기?
외곽으로 후퇴 후 기능 정지라니 …
도대체 무슨 일이지?

보급이
시급한
상황이야.
나는 군 소속이 아니라
지원 함대에 착함 허가를
받기 어려우니…
앤, 괴로운 건
알지만 이제
연합 코드 좀
알려 줘.
응?
앤!!!
야 인마
내 말 안 들려?!

앤!!
뭘 그렇게 멍하니
있는 거야! 너…

우주력 430년 12월 25일 크리스마스.
카테고리 S급 제1종 특수 의태 여왕괴수 E-34번 소멸 확인.
침식된 행성의 잔존 괴수와 산발적인 전투는 지속됐으나
여왕의 사망과 지휘 영식의 도주로 적의 조직력과
플랜트의 생산성은 급격히 저하.

2년간의 전투로 6개 행성이 폐기되는 피해 끝에 432년 8월 연합이 승리.

푸른꽃 4기 격추.
연합 함대 80% 괴멸.
나머지 푸른꽃은 은하계 외곽으로 퇴각.

명령권을 가진 지휘 개체가 존재하지 않기에
재공격의 위협은 적은 것으로 판단.

제1영식은 행방을 알 수 없음.

아린은 결국 폐기 지정.

이 전투의 주역인 기사 앤 마이어는 종전 후 은퇴.
외곽 행성인 가리온에서 자영업을 시작.
카페를 개업.

워프 아웃.

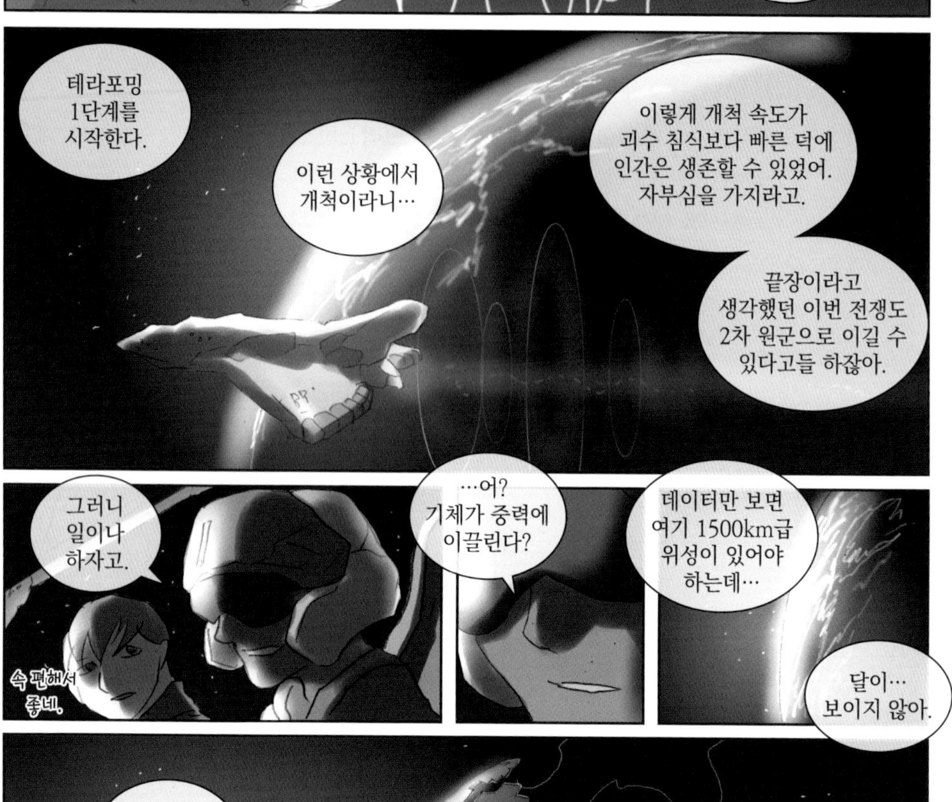
테라포밍
1단계를
시작한다.
이런 상황에서
개척이라니…
이렇게 개척 속도가
괴수 침식보다 빠른 덕에
인간은 생존할 수 있었어.
자부심을 가지라고.
끝장이라고
생각했던 이번 전쟁도
2차 원군으로 이길 수
있다고들 하잖아.

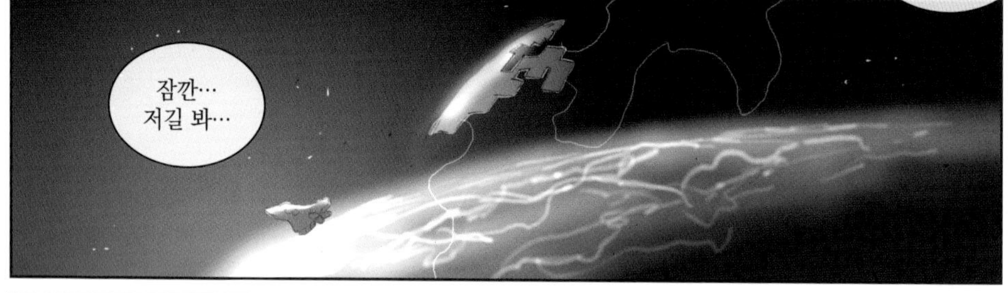
그러니
일이나
하자고.
속 편해서
좋네.
…어?
기체가 중력에
이끌린다?
데이터만 보면
여기 1500km급
위성이 있어야
하는데…
달이…
보이지 않아.

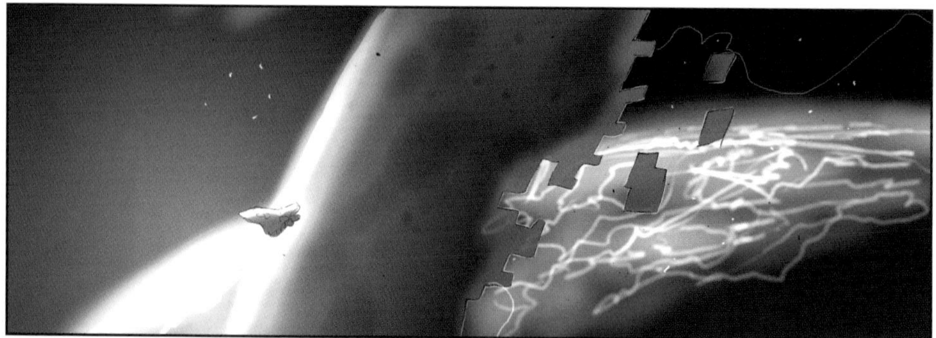
잠깐…
저길 봐…

위성이…
감춰져 있었어…?

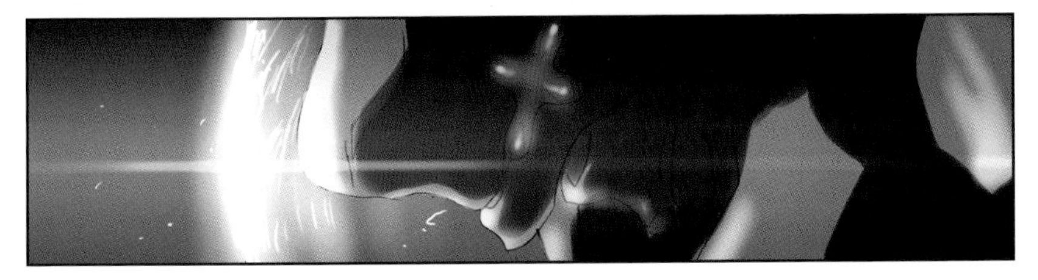

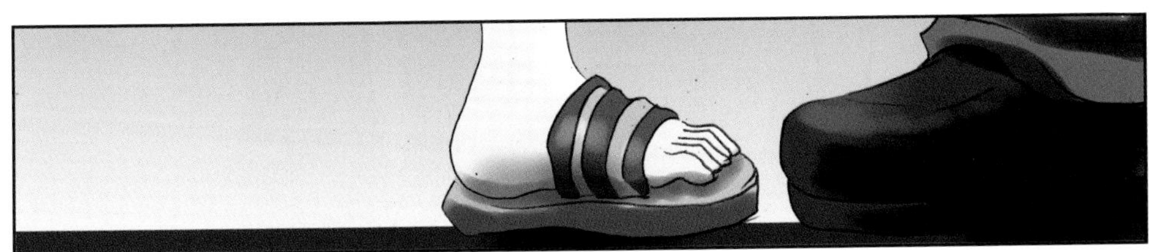

‘대립의 시대’

작가후기

고아에 거지였던 불쌍한 소녀 프레이가 판잣집 노숙자에서 한 가문의 양녀가 된 후 부단한 노력을 통해 기사를 거쳐 여왕이 되는 노빠꾸 석세스 스토리, 프레이 편이 무사히 완결되어 책으로 나왔네요.

첫 연재지만 욕심을 내서 중편이었던 이야기를 거대한 전쟁 이야기로 그렸다가 죽을뻔할 정도로 힘들었던 이야기입니다. 너무 많은 걸 해내려다 잠을 못 자서 진짜 수명이 줄었음. 그래서 이후 반년을 후유증으로 연재 안 했죠. 수명을 갈아 넣는 작업 방식으로 시온 편을 거치며 몸도 안 좋아져서 만화 때려치우기 직전까지 갔고 마감을 늦다 보니 깎이는 수입까지…… 그 이후로는 조금 워라벨을 맞춰가게 됐습니다.

다른 에피소드들과는 조금 다르게 전쟁보다는 오직 두 사람의 이야기에만 초점을 맞춰 감정에 집요하게 파고들었던 이야기라 지금의 나이트런 스타일과는 조금 다르게 느껴지기도 하네요.
당시에는 다층적인 이야기보다 '오직 감정의 클라이맥스로 보는 사람이 마치 마음에 베인 상처라도 입은 듯 아프고 날카롭게 파고든다'는 목표를 가지고 연출을 고치고 고쳤던 기억이 납니다.
시온 편까지 그런 경향이 있었고(시온 편은 좀 더 다른 이야기를 담으려 했지만 기본적인 감정의 표현은 공통되는 부분이 있음) 나름대로 성공적으로 마무리를 지은 느낌입니다.

이후로는 이런 이야기를 또 하려고 해도 그저 자기복제일 뿐 그 이상이 나오지 않아 결국 이야기의 방향을 바꾸게 됐습니다. 이때와 같은 이야기를 또 원하시는 분도 계시지만 똑같은 걸 하면 결국 날카로움이 무뎌진 복제품만 양산하게 되겠죠…(--) 악의와 선의, 피해자와 가해자, 전쟁 속의 사람들, 아이와 어른을 조금씩 다른 방향으로 접근해 이야기를 하려고 하고 있습니다만 쉽지는 않네요. 특히 프레이 편은 그 중에서도 거의 오직 한 사람에 대한 이야기에 가깝기 때문에 인상 강한 이야기가 가능했죠.

프레이의 매력은 최강이지만 카리스마와 기품이 넘치는 악의 제왕이 아니라 초딩이라는 점이겠죠(…).
길거리 노숙자 출신의 자유로운 초딩 영혼이지만 고된 육아를 감당하는 싱글맘…
이 시절의 프레이를 그릴 때가 가장 즐거웠던 기억이 나네요.

그녀가 강했던 건 늘 원하는 것은 가져야만 하는 아이였기 때문이었고
그녀가 불행했던 건 결국 어른이 되지 못했기 때문이었던 거겠죠.

오랜만에 그때의 기억을 떠올렸네요.
그럼...구입해 주셔서 감사합니다.

프레이 중 제일 맘에 드는 거지 시절 프레이.
괴수 때문에 치안이 무너진 도시에서
절도와 약탈로 먹고 살던 프레이.
특히 양아치들이 사람들에게 약탈해 모은 물자를
다시 삥뜯는 최상위 약탈자. 개깡패.

피온과의 만남, 앤의 탄생,
특히 원한을 품은 갱들에 의해
앤이 다친 후에는 조금 자중해서
고철 수집과 구걸, 절도로
방향을 많이 수정했다.